Imaginologia

Nota: A medicina é uma ciência em constante evolução. À medida que novas pesquisas e a experiência clínica ampliam o nosso conhecimento, são necessárias modificações no tratamento e na farmacoterapia. Os autores desta obra consultaram as fontes consideradas confiáveis, em um esforço para oferecer informações completas e, geralmente, de acordo com os padrões aceitos à época da publicação. Entretanto, tendo em vista a possibilidade de falha humana ou de alterações nas ciências médicas, os leitores devem confirmar estas informações com outras fontes. Por exemplo, e em particular, os leitores são aconselhados a conferir a bula de qualquer medicamento que pretendam administrar, para se certificar de que a informação contida neste livro está correta e de que não houve alteração na dose recomendada nem nas contraindicações para o seu uso. Esta recomendação é particularmente importante em relação a medicamentos novos ou raramente usados.

I31   Imaginologia / organizadores, Léo Kriger, Samuel Jorge Moysés, Simone Tetu Moysés ; coordenadora, Maria Celeste Morita ; autor, Claudio Fróes de Freitas. – São Paulo : Artes Médicas, 2014.
144 p. : il. color. ; 28 cm. – (ABENO : Odontologia Essencial : parte clínica)

ISBN 978-85-367-0211-7

1. Odontologia. 2. Imaginologia. I. Kriger, Léo. II. Moysés, Samuel Jorge. III. Moysés, Simone Tetu. IV. Morita, Maria Celeste. V. Freitas, Claudio Fróes de.

CDU 616.314-073

Catalogação na publicação: Ana Paula M. Magnus – CRB 10/2052

Odontologia Essencial
Parte Clínica

organizadores da série
Léo Kriger
Samuel Jorge Moysés
Simone Tetu Moysés

coordenadora da série
Maria Celeste Morita

Imaginologia

Claudio Fróes de Freitas

© Editora Artes Médicas Ltda., 2014

Diretor editorial: *Milton Hecht*
Gerente editorial: *Letícia Bispo de Lima*

Colaboraram nesta edição:
Editora: *Mirian Raquel Fachinetto Cunha*
Assistente editorial: *Adriana Lehmann Haubert*
Capa e projeto gráfico: *Paola Manica*
Processamento pedagógico e preparação de originais: *Madi Pacheco*
Leitura final: *Gisélle Razera*
Ilustrações: *Vagner Coelho*
Editoração: *Know-How Editorial*

Reservados todos os direitos de publicação à
EDITORA ARTES MÉDICAS LTDA., uma empresa do GRUPO A EDUCAÇÃO S.A.

Editora Artes Médicas Ltda.
Rua Dr. Cesário Mota Jr., 63 – Vila Buarque
CEP 01221-020 – São Paulo – SP
Tel.: 11.3221.9033 – Fax: 11.3223.6635

É proibida a duplicação ou reprodução deste volume, no todo ou em parte, sob quaisquer formas ou por quaisquer meios (eletrônico, mecânico, gravação, fotocópia, distribuição na Web e outros), sem permissão expressa da Editora.

Unidade São Paulo
Av. Embaixador Macedo Soares, 10.735 – Pavilhão 5 – Cond. Espace Center
Vila Anastácio – 05095-035 – São Paulo – SP
Fone: (11) 3665-1100 Fax: (11) 3667-1333

SAC 0800 703-3444 – www.grupoa.com.br

IMPRESSO NO BRASIL
PRINTED IN BRAZIL

Autores

Claudio Fróes de Freitas Cirurgião-dentista e radiologista. Professor livre-docente associado da disciplina de Radiologia do Departamento de Estomatologia da Faculdade de Odontologia da Universidade de São Paulo (FOUSP). Professor e coordenador do Curso de Odontologia da Universidade Cidade de São Paulo (UNICID) do Grupo Educacional Cruzeiro do Sul. Mestre e doutor em Odontologia pela FOUSP.

Alessandra Coutinho Di Matteo Cirurgiã-dentista. Especialista em Radiologia Odontológica pela Fundação para o Desenvolvimento Científico e Tecnológico da Odontologia da (Fundecto) da FOUSP. Mestre em Diagnóstico Bucal pela FOUSP. Doutora em Diagnóstico Bucal pela FOUSP.

Ana Cláudia Azevedo Cirurgiã-dentista. Especialista em Radiologia pela Fundecto/FOUSP. Mestre em Radiologia pela FOUSP.

Arthur Rodriguez Gonzalez Cortes Cirurgião-dentista. Especialista em Implantodontia pelo Centro de Estudos, Treinamento e Aperfeiçoamento em Odontologia (CETAO). Mestre em Patologia Bucal pela FOUSP. Doutorando em Diagnóstico Bucal da FOUSP.

Áurea do Carmo Pepe Agulha de Freitas Cirurgiã-dentista. Mestre e doutora em Diagnóstico Bucal pela FOUSP.

César Ângelo Lascala Cirurgião-dentista. Professor associado da disciplina de Radiologia e Imaginologia Bucomaxilofacial da FOUSP. Professor da disciplina de Controle de Qualidade em Radiologia e Imaginologia da Pós-graduação da FOUSP. Professor do Curso de Especialização da Fundecto/FOUSP. Mestre e doutor em Odontologia pela FOUSP.

Claudio Costa Cirurgião-dentista. Professor associado da disciplina de Radiologia da FOUSP. Professor visitante e pesquisador da University of Texas A&M Health Sciences Center – Baylor College of Dentistry, Dallas , e da University of California, Los Angeles (UCLA) – School of Dentistry. Mestre e doutor em Odontologia: Diagnóstico Bucal pela FOUSP. Livre-docente em Radiologia pela FOUSP.

Eduardo Duailibi Mestrando em Diagnóstico Bucal da FOUSP.

Eduardo Nóbrega Pereira Lima Médico nuclear. Coordenador do Serviço de Medicina Nuclear e PET-CT do Hospital A. C. Camargo. Mestre em Radiologia Clínica pela Escola Paulista de Medicina da Universidade Federal de São Paulo (Unifesp-EPM). Doutor em Ciências: Oncologia pela Fundação Antônio Prudente.

Emiko Saito Arita Professora livre-docente da disciplina de Radiologia e Imaginologia do Departamento de Estomatologia da FOUSP. Professora do curso de pós-graduação em nível de mestrado e doutorado na FOUSP. Professora visitante e pesquisadora da Okayama University Graduate School of Medicine, Dentistry and Pharmaceutical Sciences, Japão.

Evângelo Tadeu Terra Ferreira Professor associado da disciplina de Radiologia da FOUSP. Mestre em Clínicas Odontológicas pela FOUSP. Doutor em Odontologia pela FOUSP.

Harry Davidowicz Cirurgião-dentista. Especialista pelo Conselho Regional de Odontologia (CRO). Professor coordenador do Curso de Especialização em Endodontia da Fundação de Apoio à Pesquisa e Estudo na Área da Saúde (FAPES) e da Sociedade Brasileira de Ortodontia e Ortopedia Maxilar (SBOOM). Mestre e doutor em Endodontia pela FOUSP.

Israel Chilvarquer Especialista em Radiologia Odontológica. Professor livre-docente em Radiologia pela FOUSP. Pós-graduado e professor visitante da University of Texas at San Antonio, EUA. Mestre e doutor em Clínicas Odontológicas pela FOUSP.

Jefferson Xavier de Oliveira Cirurgião-dentista. Professor livre-docente associado da disciplina de Radiologia da FOUSP. Especialista em Radiologia pela Escola de Aperfeiçoamento Profissional da Associação Paulista dos Cirurgiões-Dentistas (EAP-APCD). Mestre em Clínicas Odontológicas pela FOUSP. Doutor em Diagnóstico Bucal pela FOUSP.

Karina Cecília Panelli Santos Cirurgiã-dentista. Especialista em Radiologia Odontológica e Imaginologia pela Fundecto/FOUSP. Doutora em Diagnóstico Bucal da FOUSP.

Marcia Provenzano Cirurgiã-dentista. Especialista em Radiologia Odontológica. Mestre e doutora em Diagnóstico Bucal pela FOUSP.

Maria José A. P. S. Tucunduva Cirurgiã-dentista. Professora adjunta de Morfologia na UNICID. Especialista em Radiologia e Imaginologia pela UNICID. Mestre em Morfologia Aplicada pela UNICID. Mestre e doutora em Radiologia e Imaginologia pela FOUSP.

Marina Gazzano Baladi Cirurgiã-dentista. Especialista em Ortodontia pela Faculdade de Odontologia São Leopoldo Mandic (SLMANDIC) e pela Sociedade Paulista de Ortodontia (SPO). Mestre em Diagnóstico Bucal: Radiologia pela FOUSP. Doutoranda em Diagnóstico Bucal: Radiologia da FOUSP.

Marlene Fenyo-Pereira Professora titular da disciplina de Radiologia do Departamento de Estomatologia da FOUSP. Professora livre-docente em Radiologia pela FOUSP. Especialista em Radiologia pelo Conselho Federal de Odontologia (CFO). Mestre e doutora em Clínicas Odontológicas pela FOUSP.

Raul Renato Cardozo de Mello Tucunduva Neto Médico. Especialista em Ultrassonografia pelo Colégio Brasileiro de Radiologia. Responsável pelo Serviço de Ultrassonografia da Clínica Tucunduva e do Hospital Paulo Sacramento, em Jundiaí, SP.

Roberto Heitzmann Rodrigues Pinto Professor da disciplina de Radiologia da Faculdade de Odontologia da Universidade Santa Cecília (Unisanta). Professor do Curso de Especialização em Radiologia Odontológica e Imaginologia da Fundecto/FOUSP. Especialista em Radiologia e Estomatologia. Mestre e doutor em Radiologia: Diagnóstico Bucal pela FOUSP.

Thásia Luiz Dias Ferreira Cirurgiã-dentista. Professora de Radiologia da UNICID. Especialista em Radiologia e Imaginologia Odontológica pela Fundecto/FOUSP. Mestre e doutora em Diagnóstico Bucal pela FOUSP.

Organizadores da Série Abeno

Léo Kriger Professor de Saúde Coletiva da Pontifícia Universidade Católica do Paraná (PUCPR). Mestre em Odontologia em Saúde Coletiva pela Universidade Federal do Rio Grande do Sul (UFRGS).

Samuel Jorge Moysés Professor titular da Escola de Saúde e Biociências da PUCPR. Professor adjunto do Departamento de Saúde Comunitária da Universidade Federal do Paraná (UFPR). Coordenador do Comitê de Ética em Pesquisa da Secretaria Municipal da Saúde de Curitiba, PR. Doutor em Epidemiologia e Saúde Pública pela University of London.

Simone Tetu Moysés Professora titular da PUCPR. Coordenadora da área de Saúde Coletiva (mestrado e doutorado) do Programa de Pós-graduação em Odontologia da PUCPR. Doutora em Epidemiologia e Saúde Pública pela University of London.

Coordenadora da Série Abeno

Maria Celeste Morita Presidente da Abeno. Professora associada da Universidade Estadual de Londrina (UEL). Doutora em Saúde Pública pela Université de Paris 6, França.

Conselho editorial da Série Abeno Odontologia Essencial

Maria Celeste Morita, Léo Kriger, Samuel Jorge Moysés, Simone Tetu Moysés, José Ranali, Adair Luiz Stefanello Busato.

Prefácio

Ter acesso ao aprendizado, ou melhor, à compreensão do conhecimento, é algo inesgotável, independente dos tempos.

Este livro tem a finalidade de oferecer novos conteúdos aos alunos de graduação e pós-graduação e aos especialistas em Odontologia, uma vez que a construção do saber está em constante evolução, perpetuando a formação intelectual do homem. Não temos a pretensão de esgotar o conhecimento, e sim contribuir para o processo de ensino-aprendizagem da Radiologia e Imaginologia Odontológica.

Escritos por excelentes profissionais, os capítulos apresentam de forma clara, didática e atualizada os princípios teóricos e as aplicações clínicas dos recursos imaginológicos nas especialidades odontológicas, bem como permitem o estudo de anatomia a partir da nova terminologia anatômica nos diferentes planos do complexo maxilofacial. Além disso, as imagens inseridas ao longo dos capítulos facilitam a compreensão da teoria desenvolvida.

Em particular, o capítulo Semiologia Radiológica preconiza que a interpretação do complexo maxilofacial, por meio das incidências radiográficas convencionais e dos métodos recentes de diagnóstico por imagem, seja realizada de forma criteriosa e esclarecedora, embasada em conceitos norteadores, resultando em uma avaliação imaginológica segura e com qualidade, especialmente para o estudo das principais afecções que acometem os seios maxilares.

É, portanto, um grande prazer participar da formação intelectual de alunos de diferentes níveis de complexidade do saber, auxiliando-os a melhor usufruir da Imaginologia, quer seja pela tecnologia – em constante aprimoramento – quer seja pela interpretação radiográfica eficaz, contribuindo, assim, para sua atuação na odontologia moderna.

Caro leitor, que possamos juntos entender como e por que a imagem radiográfica nos fascina!

Claudio Fróes de Freitas

Sumário

1 | **Tomografia computadorizada**   11
Karina Cecília Panelli Santos
Claudio Costa
Jefferson Xavier de Oliveira

2 | **Anatomia imaginológica do complexo maxilofacial**   27
Maria José A. P. S. Tucunduva
Ana Cláudia Azevedo
Áurea do Carmo Pepe Agulha de Freitas

3 | **Estudo tomográfico das cavidades paranasais**   41
Maria José A. P. S. Tucunduva
Raul Renato Cardozo de Mello Tucunduva Neto
Evângelo Tadeu Terra Ferreira

4 | **Tomografia computadorizada volumétrica**   47
Eduardo Duailibi
Israel Chilvarquer
Marcia Provenzano

5 | **Semiologia radiológica**   63
Claudio Fróes de Freitas
Thásia Luiz Dias Ferreira

6 | **Estudo imaginológico das afecções dos seios maxilares**   75
Claudio Fróes de Freitas
Thásia Luiz Dias Ferreira

7 | **Imagem digital**   85
Alessandra Coutinho Di Matteo
Roberto Heitzmann Rodrigues Pinto
Marlene Fenyo-Pereira

8 | **Ressonância magnética**   99
Emiko Saito Arita
Arthur Rodriguez Gonzalez Cortes
César Ângelo Lascala

9 | **Medicina nuclear aplicada na odontologia**   111
Alessandra Coutinho Di Matteo
Harry Davidowicz
Eduardo Nóbrega Pereira Lima

10 | **Ultrassom: princípios e aplicações em odontologia**   131
Raul Renato Cardozo de Mello Tucunduva Neto
Thásia Luiz Dias Ferreira
Marina Gazzano Baladi

Referências   141

Recursos pedagógicos que facilitam a leitura e o aprendizado!

OBJETIVOS DE APRENDIZAGEM	Informam a que o estudante deve estar apto após a leitura do capítulo.
Conceito	Define um termo ou expressão constante do texto.
LEMBRETE	Destaca uma curiosidade ou informação importante sobre o assunto tratado.
PARA PENSAR	Propõe uma reflexão a partir de informação destacada do texto.
SAIBA MAIS	Acrescenta informação ou referência ao assunto abordado, levando o estudante a ir além em seus estudos.
ATENÇÃO	Chama a atenção para informações, dicas e precauções que não podem passar despercebidas ao leitor.
RESUMINDO	Sintetiza os últimos assuntos vistos.
🔍	Ícone que ressalta uma informação relevante no texto.
⚡	Ícone que aponta elemento de perigo em conceito ou terapêutica abordada.
PALAVRAS REALÇADAS	Apresentam em destaque situações da prática clínica, tais como prevenção, posologia, tratamento, diagnóstico etc.

Tomografia computadorizada

KARINA CECÍLIA PANELLI SANTOS
CLAUDIO COSTA
JEFFERSON XAVIER DE OLIVEIRA

O advento da tomografia computadorizada (TC) é considerado uma das grandes inovações no campo da radiologia desde o anúncio dos raios X, por Wilhelm Conrad Röntgen, em 1895. Essa técnica de imagens por secção permite o diagnóstico com melhor percepção da área a ser avaliada, aumentando as chances de assertivas quanto ao planejamento de tratamento e ao controle.[1,2]

Apenas nas décadas de 1960 e 1970, com os relatos de Allan Cormack e Godfrey Hounsfield, desenvolveu-se o primeiro tomógrafo, que lhes rendeu o Prêmio Nobel em Medicina em 1979. Entretanto, estudos sobre conceitos básicos de TC datam de 1917, com o estudo de Johann Radon e suas reconstruções matemáticas (Quadro 1.1).[1,2]

Em 1980, pesquisas apresentaram avanços no uso da TC, demonstrando eficiência para o diagnóstico de câncer de pulmão.

OBJETIVOS DE APRENDIZAGEM:

- Conhecer o histórico da técnica de TCs e as diferentes gerações de aparelhos
- Compreender os princípios de formação da imagem tomográfica
- Identificar as vantagens e desvantagens da TC em comparação às outras técnicas imaginológicas
- Conhecer as principais indicações da técnica na odontologia

QUADRO 1.1 – **Histórico do desenvolvimento da tomografia computadorizada.**

1895	Descoberta dos raios X por Röntgen
1917	J. Radon publicou estudo sobre reconstrução matemática
1924	A. Cormack idealizou a reconstrução de imagem
1971	G. Hounsfield desenvolveu o primeiro tomógrafo
1974	Terceira geração de tomógrafos
1977	Quarta geração de tomógrafos
1979	Prêmio Nobel para Hounsfield e Cormack
1987	Introdução da tomografia espiral
1991	Tomógrafo Dual Slice
1998	Tomógrafo Multislice

Além disso, a técnica passou também a ser utilizada para o diagnóstico de **lesões cerebrais**.

Atualmente, a TC é um dos mais importantes métodos de diagnóstico: possibilita aquisição de imagens em cortes, sem sobreposições, com melhor contraste entre os tecidos do que a radiografia convencional, permitindo a observação da topografia total da área de interesse. Permite, assim, melhor visualização de uma estrutura específica ou de regiões de tecido mole que, com outras técnicas, não poderiam ser observadas satisfatoriamente.

CONCEITOS

Conceitualmente, "tomografia" é uma palavra de origem grega: *"tomos"* significa "corte", e *"grafia"* significa "imagem". O termo foi adotado em 1962 pela Comissão Internacional em Unidades e Medidas Radiológicas (ICRU– de International Comission on Radiologic Units and Measurements) para descrever as formas de tomografia seccional do corpo.[1,2] As fatias correspondem aos cortes obtidos a partir do escaneamento do paciente.

São considerados originais os cortes axiais e coronais, a partir dos quais se faz a reconstrução do volume total escaneado, conhecido como reconstrução multiplanar (RMP): cortes sagitais, parassagitais e tridimensionais (3D) nos seus diferentes protocolos (ósseo, vascular, tegumentar e muscular) (Fig. 1.1).

LEMBRETE

Os cortes originais são axiais e coronais. A partir deles, faz-se a RMP, com cortes sagitais, parassagitais e tridimensionais, nos seus diferentes protocolos. Cada corte tem a finalidade de determinar a composição de uma única secção do corpo.

Cada corte tem a finalidade de determinar a composição de uma única secção do corpo e é formado por um conjunto de elementos de imagem digital (*picture elements*) denominados *pixels*. A quantidade e a espessura dos cortes estão diretamente relacionadas ao tamanho dos *pixels*, influenciando na qualidade final da imagem.

Com um conjunto de *pixels* forma-se a imagem tridimensional, com os elementos cúbicos de imagem denominados *voxels*. Como elemento

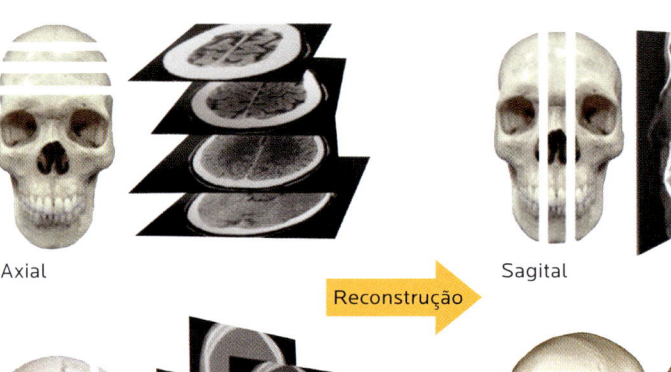
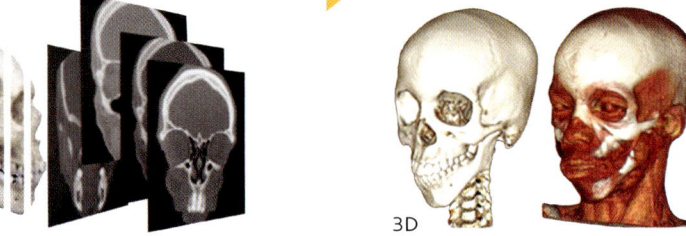

Figura 1.1 – Esquema apresentando os cortes originais (axial e coronal), a partir dos quais se originam as RMPs, exemplificadas na figura pelo corte sagital e pelas reconstruções 3D (protocolo ósseo e protocolo muscular).

que confere tridimensionalidade, o *voxel* apresenta altura, largura e espessura. É desejável que essas medidas apresentem valores equivalentes, qualidade denominada isotropia. Quanto mais próximas as medidas do *voxel*, melhor a qualidade da imagem (Fig. 1.2).

As imagens apresentam uma grande variedade de tons de cinza, que obedecem a uma escala, de acordo com o valor relativo de atenuação da água em TC. Em homenagem ao inventor da TC, essa escala recebe o nome de escala Hounsfield (Fig. 1.3) e apresenta valores de 1.000 a -1.000 unidades Hounsfield (HU). De acordo com a estrutura a ser

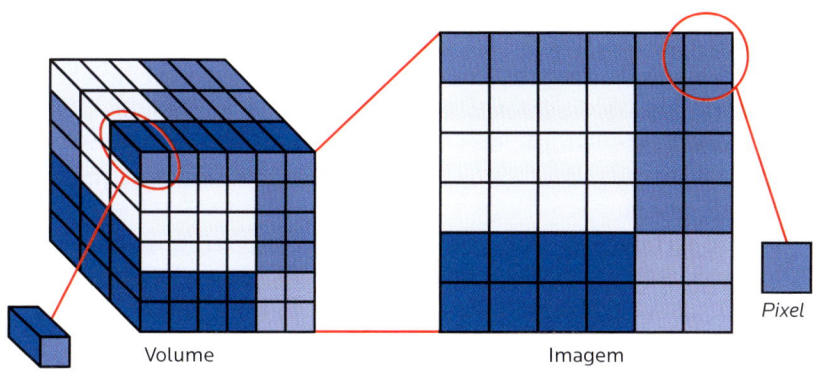

Figura 1.2 – Demonstração gráfica dos conceitos de pixel *e* voxel: *matriz de* pixels *de uma imagem gerada dos* voxels *que compõem uma fatia de volume.*

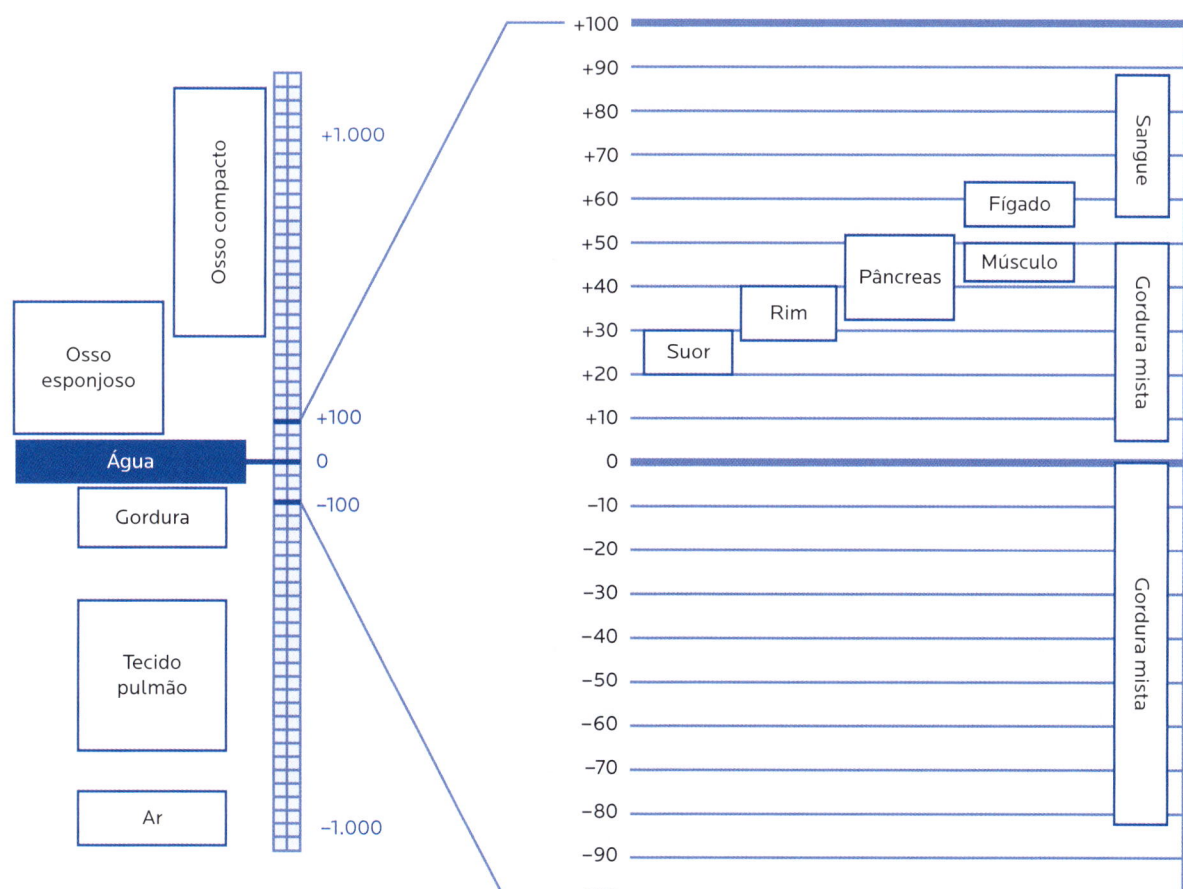

Figura 1.3 – Esquema demonstrando a escala Hounsfield.

observada, haverá um valor correspondente da escala Hounsfield. Entretanto, é possível individualizar os valores da escala a partir da escolha da janela, trabalhando apenas tecido ósseo ou tecido mole.

Antes da aquisição das imagens, é necessário estabelecer o protocolo a ser seguido. Isso inclui as seguintes variáveis, passíveis de serem alteradas de acordo com a área a ser estudada:

- **Espessura do corte** (espessura da fatia) – influencia diretamente na qualidade final da imagem.
- **Campo de visão** (**FOV**, do inglês *field of view*) – corresponde ao tamanho do campo visual, podendo ser colimado de acordo com a região a ser escaneada.
- **Intervalo de reconstrução** – corresponde ao espaçamento entre os cortes, que sofre interpolação (superposição), tornando possível a reconstrução do volume a partir da união de vários cortes. Quanto menor for o intervalo de reconstrução, melhor será a RMP obtida.
- **Matriz da imagem** – representa o número de *pixels* que formam a imagem: 340 x 340, 512 x 512, 768 x 768 ou 1.024 x 1.024 *pixels*, de acordo com o tomógrafo. Quanto maior é a matriz, menor é o *pixel* e maior é a riqueza de detalhes da imagem. Entretanto, maior também é a quantidade de dados a ser processada, requerendo mais tempo e maior capacidade de armazenamento.

As imagens são obtidas na extensão DICOM e podem ser analisadas em diferentes programas de computação gráfica, tanto na estação de trabalho (*workstation*) do aparelho como em uma estação independente. Essas imagens podem ser armazenadas e enviadas por via eletrônica, sendo possível sua análise em diferentes momentos.

SAIBA MAIS

O que é o sistema DICOM? DICOM é a abreviação de *digital imaging communication in medicine* (comunicação de imagens digitais em medicina), uma tecnologia padrão de informação mundialmente utilizada. Foi desenvolvida em 1993 e projetada para possibilitar a interação de sistemas usados na produção, no armazenamento, na exibição, no envio, na consulta, na impressão e na recuperação de imagens. Hospitais, clínicas e centros de imagens utilizam o sistema DICOM, possibilitando o uso de programas de computação gráfica para avaliação das imagens.

GERAÇÕES DE APARELHOS

O sistema básico de composição de um tomógrafo inclui **unidade de escaneamento** (*gantry*) e **estação de trabalho** (*workstation*) (Fig. 1.4).

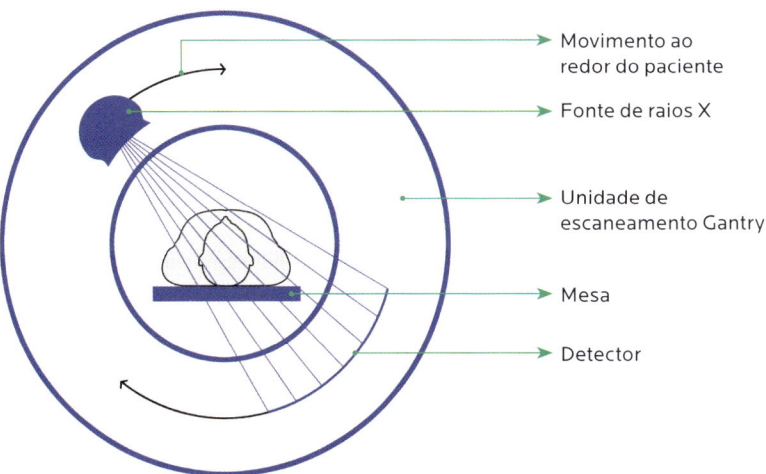

Figura 1.4 – Representação esquemática das partes básicas de um tomógrafo.

Na unidade de escaneamento, encontram-se a mesa na qual será posicionado o paciente, a fonte de raios X e os detectores. Para obtenção das imagens, a fonte (tubo de raios X) e os detectores são acoplados de forma a desenvolver o movimento de rotação sobre o paciente, o qual permanece imóvel. O feixe de raios X passa por uma secção axial do paciente atingindo os detectores, os quais reconheceram a radiação atenuada que emergiu do corpo.

Na estação de trabalho, com auxílio de *software* compatível, ocorre a reconstrução matemática, denominada transformação de Radon, que calcula o local de atenuação de cada ponto da imagem. Esse local de atenuação é traduzido em números tomográficos e convertido finalmente em tons de cinza, originando a imagem final.

O aspecto granuloso encontrado em algumas imagens é denominado ruído de imagem. Este pode ocorrer e corromper os dados em qualquer fase do processo para obtenção da imagem. A fonte predominante de ruído é a variação do número de fótons de raios X detectados. Portanto, depende da eficiência dos detectores e do fluxo de fótons de raios X que os atinge.

O fluxo de fótons de raios X é determinado pelos seguintes fatores:

- tensão aplicada no tubo de raios X, pela corrente no tubo de raios X – fase de produção dos raios X;
- filtro físico;
- espessura do corte, espessura e composição da região do corpo a ser estudada – fase de interação dos raios X com a matéria.

Imagens de estruturas ou padrão sem relação com o objeto em estudo são denominadas artefatos. Em virtude do processo de formação da imagem, os artefatos são bem distintos de outras modalidades de imagem, sendo identificados pela sua aparência. São fontes de artefato:

- movimento do paciente;
- objetos metálicos;
- desbalanceamento de detectores.

O tomógrafo desenvolvido por Hounsfield é conhecido como TC convencional, pois, a cada exposição de uma secção, a mesa (onde se encontra o paciente) movimenta-se e em seguida para, dando início a uma nova rotação do conjunto fonte-detectores (Fig. 1.5). Este

Ruído de imagem

Aspecto granuloso encontrado em algumas imagens tomográficas.

Artefato

Imagem de estruturas ou padrões sem relação com o objeto em estudo.

LEMBRETE

A movimentação do paciente gera artefatos, interferindo na interpretação da imagem.

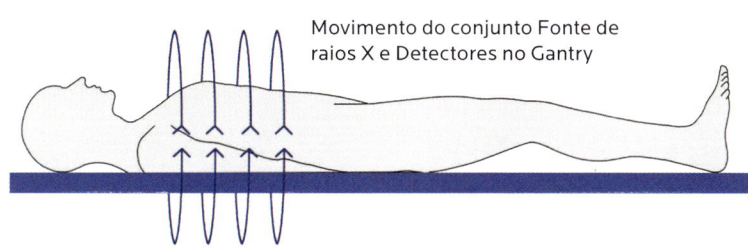

Figura 1.5 – Representação do funcionamento de um tomógrafo convencional.

sistema apresenta como desvantagem o longo tempo de exame, causando certo desconforto ao paciente, que deve ficar imóvel durante o processo.

São reconhecidas quatro gerações de tomógrafos convencionais (Fig. 1.6).

Primeira geração: fonte e detector são deslocados linearmente cerca de 1 grau para cada nova aquisição. Ao final, há uma varredura de 180 graus ao redor do paciente. Assim, o tempo de varredura é longo, e a imagem apresenta um único plano de corte.

Segunda geração: obedecia ao mesmo regime de trabalho da geração anterior, com aumento no número de detectores. Isso possibilitou redução considerável do número de posicionamentos, passando de 180 para 6. Houve redução no tempo de varredura e, consequentemente, no tempo de exame.

Terceira geração: apresentou como diferencial a conformação em arco móvel do conjunto de detectores que, juntamente com a fonte de raios X, descreviam um giro de 360 graus em torno do paciente.

Quarta geração: foi implementado o anel de detectores fixo. Houve uma melhora significativa na imagem, diminuindo a geração de artefatos devido a problemas mecânicos.

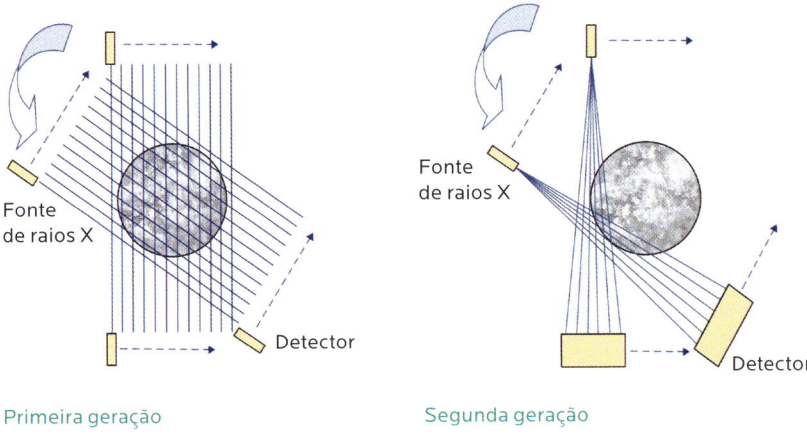
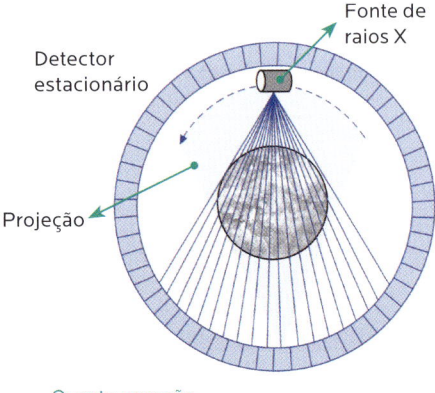

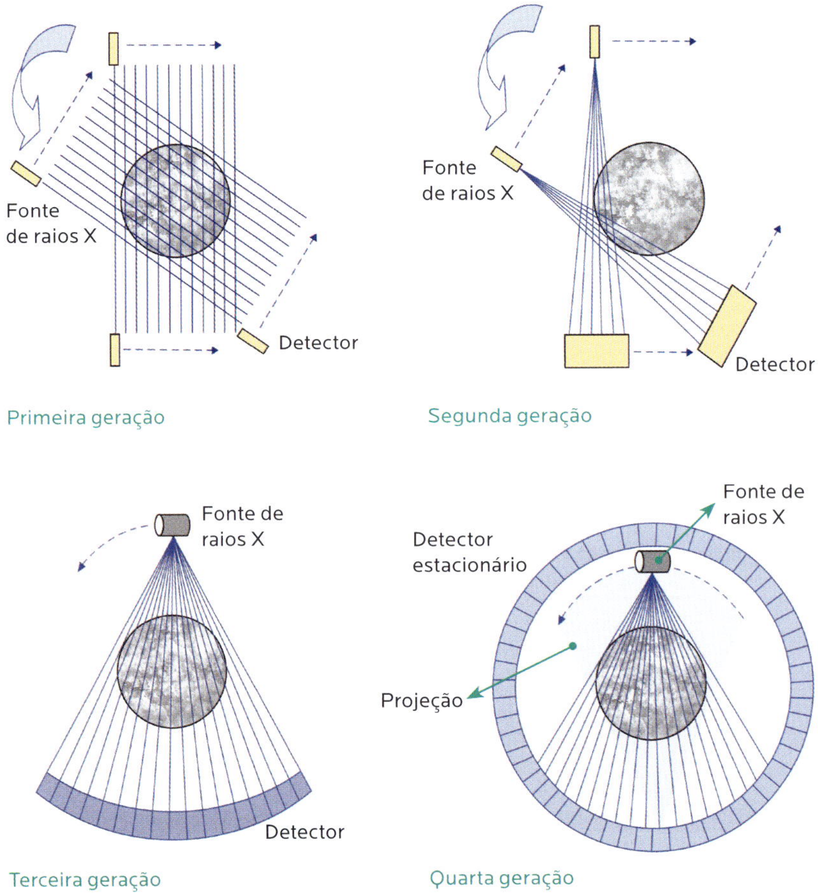

Figura 1.6 – Esquema representativo das gerações de tomógrafos convencionais e suas diferenças quanto ao funcionamento.

Visando à melhoria dos recursos tomográficos, foi desenvolvida a técnica de TC espiral, também conhecida como TC helicoidal (Fig. 1.7). Os primeiros aparelhos surgiram em 1989, com movimentação simultânea de mesa, detectores e fonte de raios X. Assim, houve diminuição do tempo de exame e melhora na qualidade das imagens com o recurso da interpolação dos cortes. Destacam-se três tipos de tomógrafos nessa categoria: *single slice*, *dual slice* e *multislice* (Figs. 1.8 e 1.9).

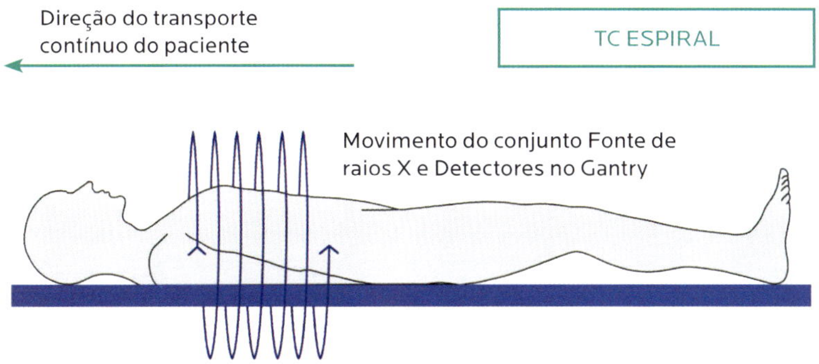

Figura 1.7 – Representação do funcionamento de um tomógrafo espiral.

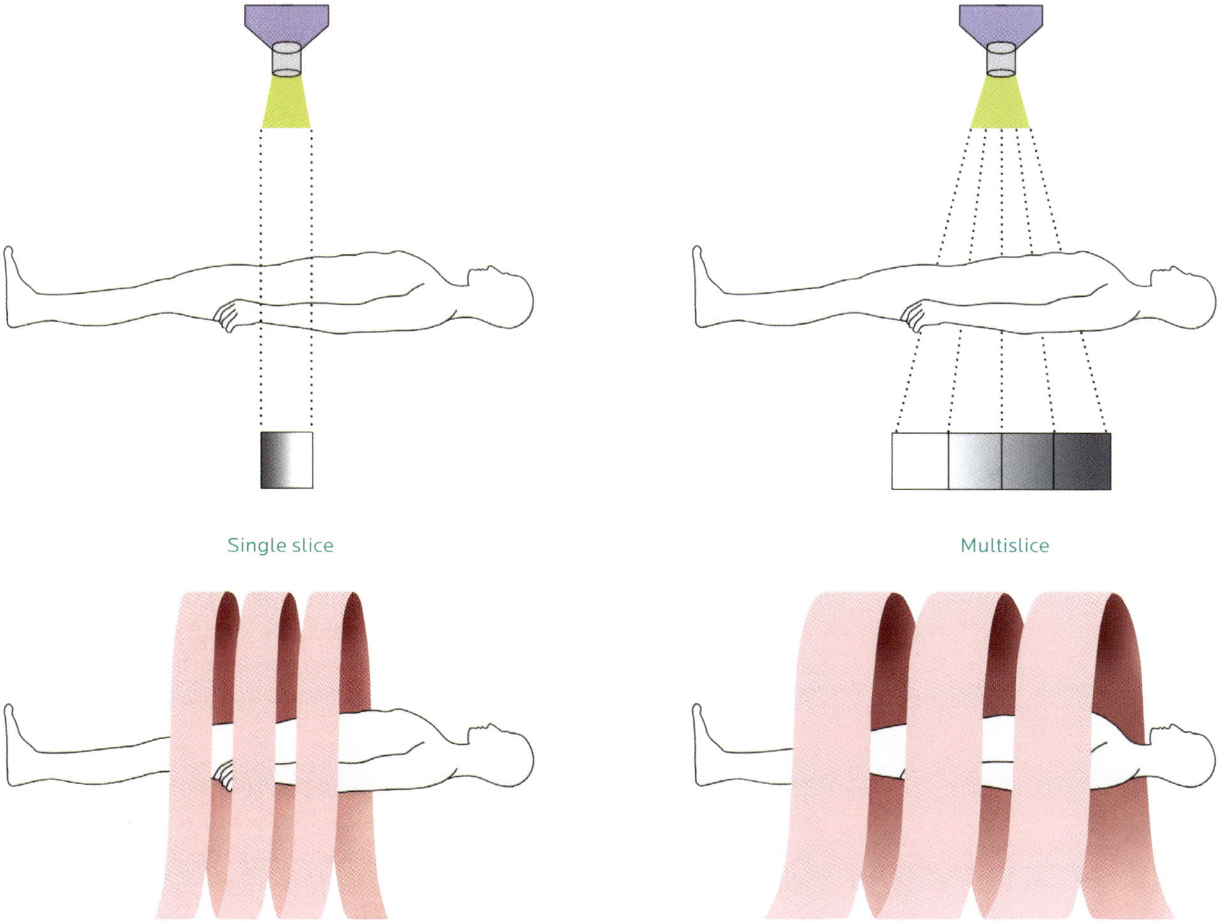

Figura 1.8 – Esquema comparando aquisição de imagens em tomógrafo single slice e multislice.

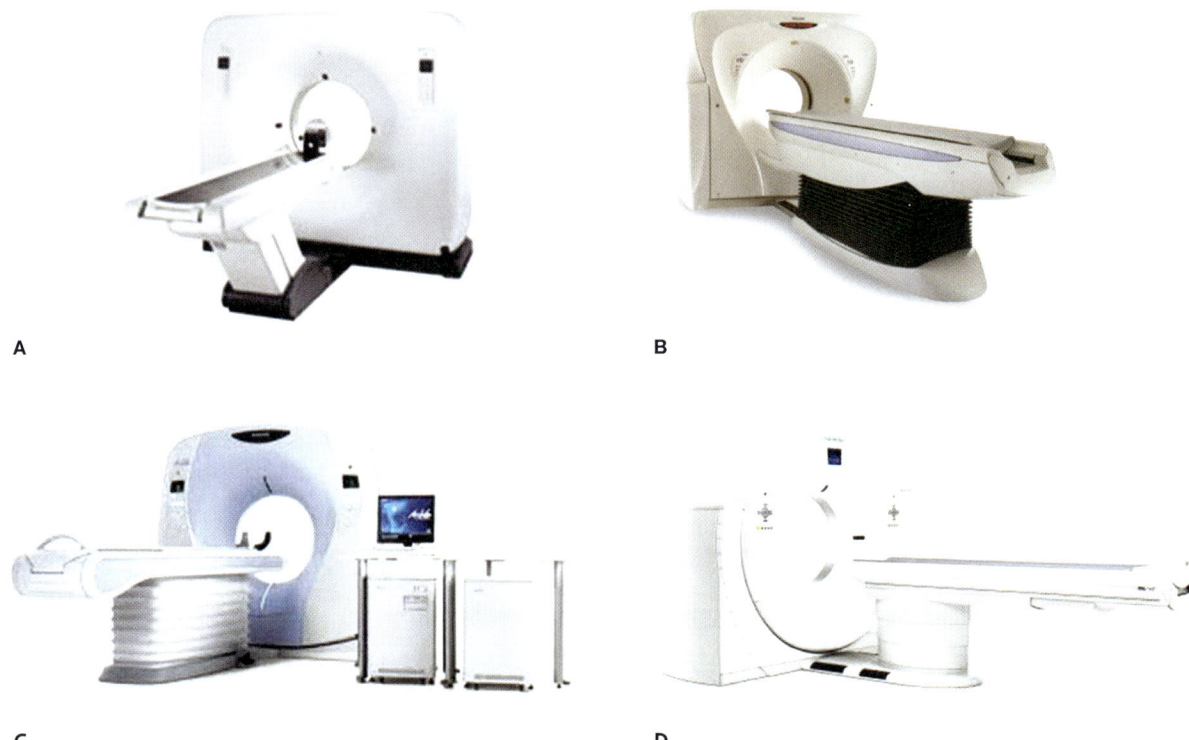

Figura 1.9 – Exemplos de tomógrafos helicoidais: (A) GE Dxi Single Slice (fora de catálogo do fabricante); (B) PHILIPS MX8000 Dual Slice (fora de catálogo do fabricante); (C) TOSHIBA aCTVISION 16 (multislice 16 canais);[3] (D) SIEMENS SOMATOM Definition AS (Multislice 128 canais).[4]

O tomógrafo *single slice* ("uma fatia") apresenta a mesma conformação daquele idealizado por Hounsfield: apenas um detector e uma fonte para escaneamento do paciente. A diferença entre eles está no conceito básico de TC convencional e TC espiral: o movimento simultâneo da mesa gerando um intervalo de reconstrução de imagens.

O tomógrafo *dual slice* ("duas fatias") apresenta dois detectores paralelos entre si e opostos à fonte de raios X, possibilitando a aquisição de duas secções de imagem por rotação.

Em 1998, surgiram os primeiros tomógrafos *multislice* ("múltiplas fatias"), inicialmente com quatro secções simultâneas e com tempo de rotação completa ao redor do paciente com menos de 1 segundo. Assim, cada volta completa gerava quatro imagens distintas.
Em 2002, foram lançados aparelhos capazes de 8 e 16 secções e, em 2004, com 32 e 64 secções (também conhecidas por canais). Atualmente, existem aparelhos com capacidade para 256 e 320 secções por rotação.

Como a busca por novas tecnologias não cessa, têm sido desenvolvidos novos métodos de aquisição de imagem, buscando sempre velocidade e qualidade. Uma nova geração de tomógrafos, denominada TC *dual source*, apresenta fonte de radiação dupla. Esses aparelhos empregam dois arranjos de fonte e detectores na mesma unidade de escaneamento (Fig. 1.10).

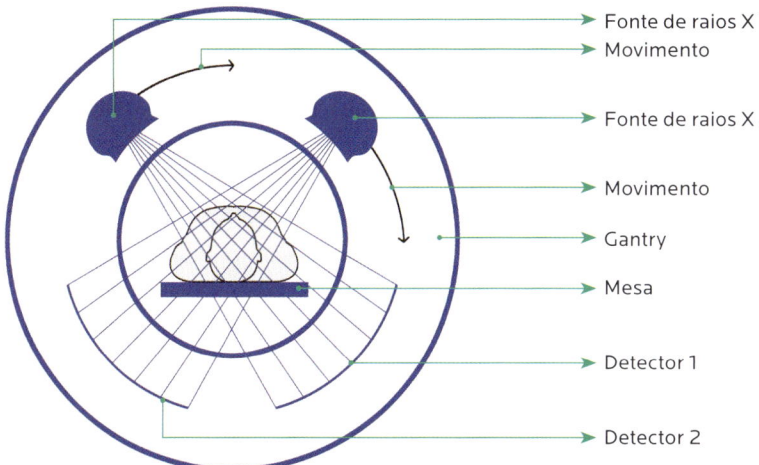

Figura 1.10 – Representação esquemática das partes básicas de um tomógrafo dual source.

VANTAGENS

As vantagens da TC, fazendo referência à TC espiral, partem da contínua aquisição de dados em um curto tempo de escaneamento. Com a TC convencional, pequenas lesões não eram notadas, principalmente devido ao erro causado pela respiração do paciente. Entretanto, com a TC espiral, o mesmo volume pode ser observado em um mesmo intervalo de respiração, eliminando movimentos.

O uso da técnica de interpolação de imagem aperfeiçoou a visualização de pequenas lesões, eliminando efeitos de volume parcial. Quando a colimação é fina, imagens bidimensionais (2D) podem ser geradas em vários planos, e são geradas reconstruções 3D de boa qualidade (Fig. 1.11).

 Com o curto tempo de escaneamento, pode-se usar contraste intravenoso com maior efetividade, fornecendo maior contraste ou diminuição no volume do material de contraste a ser utilizado. Isso trouxe avanço significativo na detecção de lesões hepáticas e pancreáticas. O alto contraste vascular também é fundamental para a angiografia por TC, método possível somente com a TC espiral. A aquisição em volume e o pouco tempo de exame são fundamentais para capturar o realce do contraste arterial e gerar imagens vasculares tipo angiografia.

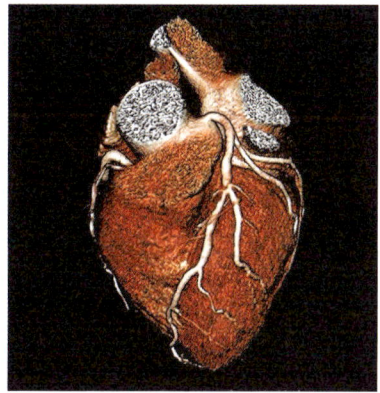

Figura 1.11 – Reconstrução 3D de uma angiografia por TC para avaliação de obstrução das artérias coronarianas.

DESVANTAGENS

As desvantagens da TC recaem sobre aparelhos antigos que necessitam de menor dose de radiação por rotação, podendo levar a uma baixa qualidade da imagem. Aparelhos mais modernos empregam tecnologia avançada em fonte de radiação, não havendo tal limitação.

Apesar de o tempo de escaneamento ser curto, há mais dados a serem processados, o que pode aumentar o tempo para reconstrução da imagem. Aparelhos modernos requerem aproximadamente 1 segundo por imagem; entretanto, quanto maior for o número de cortes, maiores serão o tempo e o custo.

O curto tempo de exame também pode complicar a administração de contraste médio, podendo ocorrer novos tipos de artefato. Uma técnica errônea na aplicação do contraste pode gerar um resultado falso ou aquém do real.

Mesmo em tomógrafos mais modernos, os artefatos metálicos ainda representam grande limitação para interpretação da imagem. Os metais atenuam os raios X, formando imagens hiperdensas pronunciadas e interferindo na imagem (Fig. 1.12).

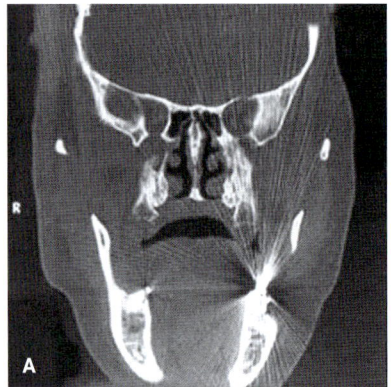 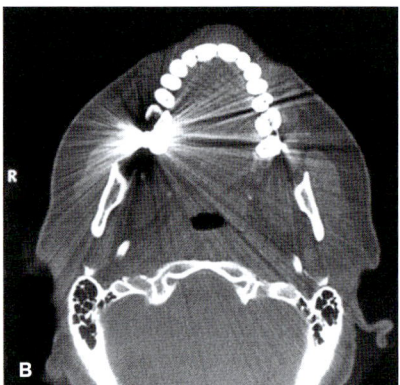

Figura 1.12 – Imagens de TC, janela para osso: (A) corte coronal; (B) corte axial. Observa-se a interferência do artefato metálico nas imagens.

Fonte: Al-Shakhrah e Al-Obaidi T.[5]

DOSE DE RADIAÇÃO

Os valores absolutos de exposição à radiação dependem fortemente dos parâmetros de escaneamento e das características do aparelho e do paciente. Esses valores podem ser 5 a 100 vezes maiores do que nas radiografias convencionais da mesma região anatômica, provando a importância da dose de radiação e adequação dos parâmetros de escaneamento ao paciente.

Existem diversas variáveis para descrever a dose de radiação para o paciente, mas as mais significativas são dose local, dose total e dose efetiva.

A **dose local** é a ferramenta que indica a média de dose a que o paciente é submetido em determinada região escaneada. Essa medida é expressa em miliGray (mGy). Essa variável permite a comparação direta entre dose de radiação e parâmetros de escaneamento, mesmo entre aparelhos de diferentes fabricantes. Entretanto, não indica a dose precisa de um paciente individualmente; é preferível como índice de dose para um aparelho e um exame em particular.

A **dose total** é a dose acumulada (total de energia) transferida ao paciente, em mGy/cm. Essa medida considera não somente a média de dose por área escaneada, mas também o comprimento da região de interesse.

O risco por radiação do paciente pode ser estimado a partir da **dose efetiva**, medida em miliSievert (mSv). A dose efetiva pode ser estimada a partir de um padrão masculino ou feminino e de um modelo matemático aplicado por uma variedade de programas disponíveis no mercado (Tab. 1.1).

TABELA 1.1 – **Comparação da dose efetiva do protocolo de peso de tecido correspondente ao número de radiografias panorâmicas**

Técnica	E (µSv) – ICRP 1990	Dose como múltiplo de uma radiografia panorâmica – ICPR 1990
TC maxilar + mandibular	2.100	336
TC maxilar	1.400	224

ICRP: Comissão International de Proteção em Radiologia (International Commission on Radiological Protection). µSv: microSievert. E: dose efetiva

Fonte: Ludlow e colaboradores.[6]

TOMOGRAFIA COMPUTADORIZADA NA ODONTOLOGIA

IMPLANTODONTIA

O exame radiográfico é primordial para avaliar uma região com perda dentária. Defeitos ósseos podem ocorrer após extrações ou perdas de elementos dentários, assim como por presença de lesões, doença periodontal ou trauma.

Cirurgiões-dentistas frequentemente começam a avaliação do paciente por radiografias planas, em particular a radiografia panorâmica. Entretanto, esta não fornece informações confiáveis em se tratando de medidas, devido à distorção e à ampliação inerentes à técnica. Além disso, não estabelece informação sobre a largura de rebordo alveolar, por ser um método bidimensional.

A TC proporciona com precisão a visualização da anatomia em todas as dimensões, e as medidas obtidas correspondem à realidade. Os limites anatômicos são prontamente definidos pela identificação de estruturas nobres. Além disso, há a possibilidade da confecção do guia tomográfico, com função de indicar a futura localização do implante, com maior aproveitamento ósseo e protético (Fig. 1.13).

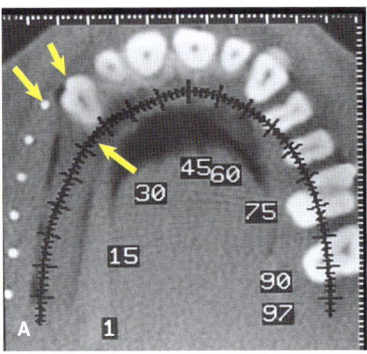 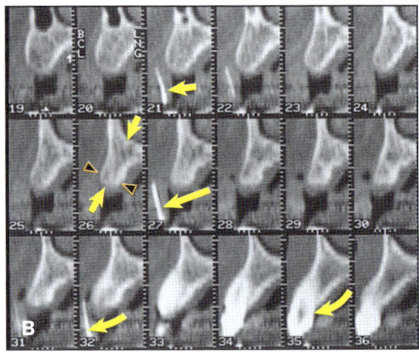

Figura 1.13 – Corte axial (A) com as marcações referentes aos cortes parassagitais (B). As flechas representam marcações que servem como guia para o planejamento.

Fonte: Abrahams.[7]

ARTICULAÇÃO TEMPOROMANDIBULAR

Os exames por imagem da articulação temporomandibular (ATM) visam complementar os dados obtidos previamente em exame clínico. A TC é considerada o método de eleição para avaliação de estruturas ósseas, sendo indicada em condições patológicas: anomalias congênitas, trauma, doenças de desenvolvimento, infecções e neoplasias envolvendo tecido ósseo. Também pode ser utilizada para avaliação da cortical óssea, no intuito de identificar processos erosivos, cistos subarticulares ou subcondrais, esclerose e osteófitos (Fig. 1.14).

A TC fornece também informações sobre as condições ósseas da fossa da mandíbula e tubérculo articular do osso temporal. Entretanto, não é indicada para avaliação do disco articular; para esse fim, o método de escolha é a ressonância magnética (RM).

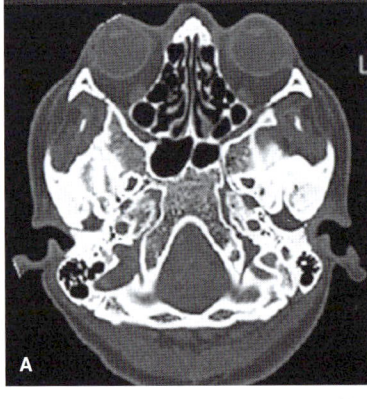 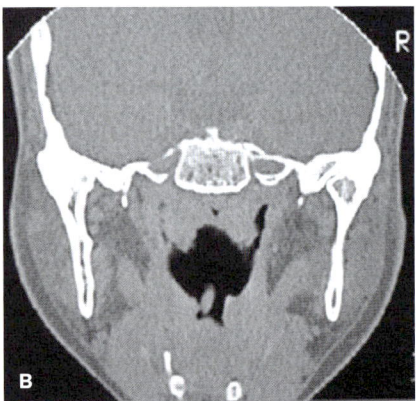

Figura 1.14 – Imagens por TC, janela para osso: (A) corte axial; (B) corte coronal. A imagem identifica anquilose bilateral de ATM.

Fonte: Casanova e colaboradores.[8]

CIRURGIA BUCOMAXILOFACIAL

A avaliação de fraturas dos ossos faciais é de difícil observação em radiografias convencionais; por isso, a TC tem cada vez mais atuação nessa especialidade. Também pode ser utilizada na avaliação de elementos dentários não irrompidos (inclusos) e de sua relação com estruturas nobres, além de planejamento de cirurgias ortognáticas e intervenções em lesões dos maxilares.

A associação das imagens axial, coronal e sagital proporciona melhores resultados para a avaliação de fraturas faciais, uma vez que possibilitam um exame preciso da área traumatizada e do traço de fratura (solução de continuidade do tecido ósseo), determinando o grau de deslocamento e rotação dos fragmentos ósseos, bem como lesões em tecido mole. Em conjunto com o exame clínico, permite o tratamento adequado com um prognóstico favorável.

A fratura dentoalveolar é comum e pode ou não estar associada a outras fraturas de face, muitas vezes com comprometimento dentário. A TC é indicada em casos de fratura dentoalveolar com associação dos maxilares.

Elementos dentários não irrompidos (inclusos), frequentemente caninos e terceiros molares, requerem localização precisa e avaliação minuciosa da relação com estruturas adjacentes. Radiografias convencionais, além das distorções inerentes a cada técnica radiográfica, proporcionam imagens sobrepostas, dificultando a interpretação. A TC fornece imagens em tamanho real e sem sobreposição, facilitando a avaliação e o planejamento (Fig. 1.15).

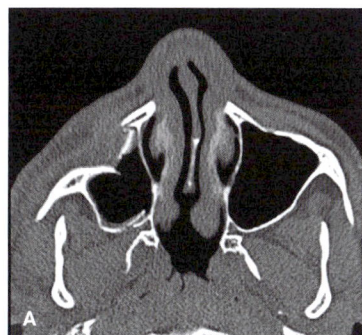 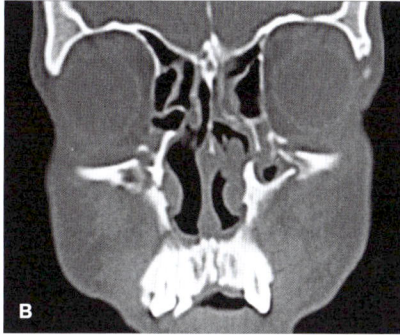 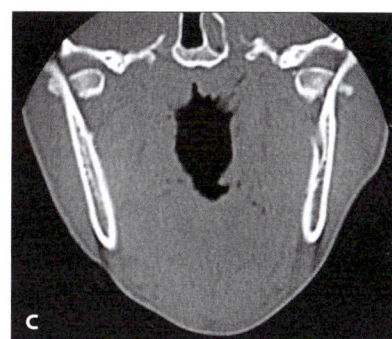

Figura 1.15 – Imagens por TC, janela para osso: (A) corte axial, em que se observa fratura da parede anterior do seio maxilar direito, com deslocamento de fragmento para o interior do seio maxilar; (B) corte coronal, em que se observa fratura em parede lateral de fossa nasal bilateral e assoalho de cavidade orbital esquerda; (C) corte coronal, em que se observa fratura em cabeça de mandíbula bilateral com seu deslocamento para a porção medial.

ANOMALIAS CRANIOFACIAIS

Progressos recentes na terapia cirúrgica de anomalias craniofaciais levaram ao uso da TC para determinar a extensão da doença e a conduta apropriada, na tentativa de minimizar sequelas e melhorar a qualidade de vida do portador da disfunção.

Inúmeras características cranianas de pacientes com dismorfias faciais têm sido estudadas, e a TC possibilita a visualização das estruturas ósseas e dos tecidos moles, além da ótima resolução anatômica. O conhecimento de alterações ósseas, agenesias, hipoplasias e defeitos musculares é de extrema importância para o plano de tratamento e, por isso, são imprescindíveis imagens precisas e de alta resolução.

A TC contribui para o estudo das alterações do complexo craniofacial (Fig. 1.16), pois permite estudar estruturas ósseas e tecidos moles com

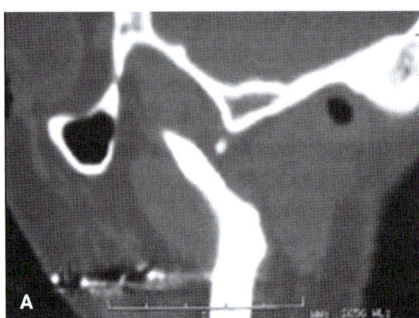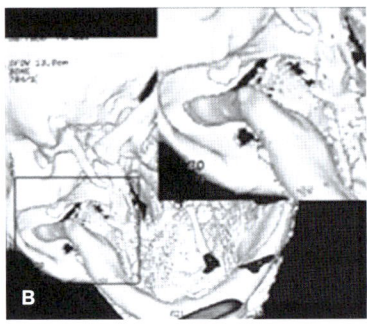

Figura 1.16 – Imagens de TC. (A) Corte sagital, janela para osso. Observa-se a completa ausência da cabeça da mandíbula esquerda. (B) Reconstrução 3D. Em detalhe, observa-se a área demonstrando a ausência da cabeça da mandíbula esquerda.

Fonte: Santos e colaboradores.[9]

ótima precisão anatômica. O uso de técnicas 3D também apresenta relatos com diversas aplicações, principalmente por auxiliar no plano de tratamento. O emprego da computação gráfica aumentou significativamente a qualidade da imagem e, consequentemente, a possibilidade de um melhor planejamento: avaliação de componentes ósseos vasculares e musculares separadamente; possibilidade de mensurações; segmentação e rotação da imagem; obtenção da área e do volume da região de interesse.

LESÕES

A TC é muito útil na avaliação de lesões localizadas na região da cabeça e do pescoço, sendo comumente utilizada como fonte única e suficiente de exploração. Por isso, o máximo de informação possível deve ser coletado e minuciosamente avaliado, como localização, densidade, forma, limites, expansão e destruição de corticais, afastamento de dentes, presença de septos intraósseos e calcificações.

A TC permite a identificação do processo patológico tridimensionalmente, assim como sua extensão, além de invasão de tecidos adjacentes, registro de linfonodos e estadiamento de tumores. Possibilita também a avaliação de cistos e a localização de corpos estranhos.

O uso de contraste endovenoso iodado é indicado para o estudo da vascularização das lesões. O realce da imagem devido à injeção de contraste propicia informações sobre o fluxo sanguíneo e a atenuação vascular. O uso de contraste está indicado para lesões hipervasculares e para lesões que promovem angiogênese.

A reconstrução multiplanar e 3D tem permitido mensurações lineares e volumétricas, fornecendo estudo qualitativo e quantitativo. Os diferentes protocolos 3D auxiliam na localização topográfica e na segmentação da lesão para determinação de volume e área (Fig. 1.17).

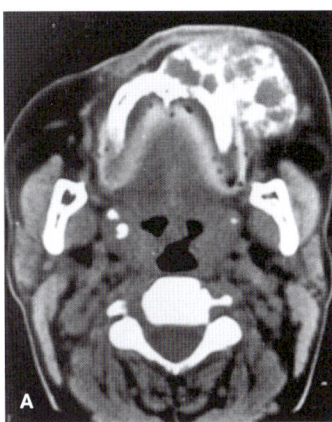 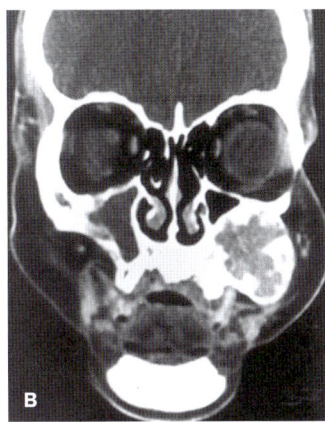

Figura 1.17 – Imagem de TC, janela para tecido mole: (A) corte axial; (B) corte coronal. Observa-se lesão insuflativa, com contornos bem definidos e calcificação em seu interior, localizada na porção anterior do processo alveolar do maxilar esquerdo. Em B, nota-se compressão do seio maxilar adjacente.

Fonte: Torriani e colaboradores.[10]

ODONTOLOGIA LEGAL

A identificação humana é extremamente importante na medicina forense, por razões tanto legais como humanitárias, possibilitando a preservação de direitos e deveres, sejam cíveis ou penais. Trata-se de uma grande área de estudo, pois trabalha com material humano em diversos estágios com o objetivo da identificação: material dilacerado, carbonizado, macerado, putrefeito, em esqueletização ou esqueletizado.

A TC, pelo fato de estar livre de sobreposições e por permitir a visualização de pequenas diferenças de densidade, apresenta grande vantagem em relação às radiografias convencionais. Além disso, oferece uma imagem segmentada de boa qualidade e permite a obtenção de medidas como volume e área, possibilitando a união de achados morfológicos e antropométricos.

Anatomia imaginológica do complexo maxilofacial

MARIA JOSÉ A. P. S. TUCUNDUVA
ANA CLÁUDIA AZEVEDO
ÁUREA DO CARMO PEPE AGULHA DE FREITAS

Quando da indicação de um método específico de imagem, deve-se considerar, inicialmente, o motivo pelo qual o exame é solicitado.

A radiografia convencional, o mais antigo método de imagem utilizado, baseia-se na atenuação das estruturas corpóreas pelo feixe de raios X. Isso significa que os tecidos moles "deixam passar" a radiação, ao passo que as estruturas mais densas, como o tecido ósseo, bloqueiam essa radiação.

Todas as estruturas expostas ao feixe de raios X são sobrepostas em um único plano na imagem radiográfica final. Portanto, não é possível inferir a profundidade de uma determinada área, a menos que sejam feitas imagens em diversos ângulos. Além disso, perde-se muito em definição na imagem radiográfica final.

A TC igualmente utiliza os raios X. No entanto, com o auxílio da informática, permite fazer uma "fatia" de uma determinada área corpórea, com alta definição, gerando informações posteriormente processadas no computador. Assim, as afecções ósseas (como tumores e infecções) e as fraturas têm maior representatividade neste tipo de exploração imaginológica, e com maior definição. As lesões de tecidos moles, como espessamentos mucosos, infecções e tumorações desses tecidos, também são vistas com maior definição na TC do que nos exames radiográficos convencionais, mas de maneira menos definida do que nos exames de RM e de ultrassonografia (US).

As TCs possibilitam a observação de uma imagem tridimensional adicionada a um novo plano, ou seja, a profundidade. As imagens assim adquiridas são processadas e apresentadas em tela e, posteriormente impressas, podendo ser reformatadas por computador para outro tipo de corte, como cortes coronais ou oblíquos.

OBJETIVOS DE APRENDIZAGEM:

- Conhecer os princípios de formação de imagem nas técnicas radiográficas convencionais, tomografia computadorizada, ressonância magnética e ultrassonografia
- Compreender de que maneira esses princípios são aplicados na análise do complexo maxilofacial

A tomografia computadorizada volumétrica ou de feixe cônico, ou *cone beam* (CBTC), auxiliou algumas especialidades odontológicas que não podiam usufruir da tomografia computadorizada médica *fan-beam* (TCFL). O que diferencia as duas técnicas é a forma do feixe de raios X, que lhes dá nome: formato cônico na técnica CBTC, e em forma de leque na TCFL.

A CBTC possui um conjunto de tubo e detectores que realiza uma rotação de 360 graus ao redor da cabeça do paciente, usando um ângulo constante de feixe. Quanto ao posicionamento do paciente, este poderá ser em pé ou sentado.

LEMBRETE

A TCFL pode ser helicoidal e/ou espiral, ou ainda *multislice*.

Os aparelhos de CBTC são dotados de características próprias, diferindo quanto ao tipo de sensor, ao tamanho do campo de visão (FOV), à resolução e ao *software*. Nesses aparelhos existem dois tipos de sensores: o intensificador de imagem e o *flat panel*. Este último é o mais utilizado, pois possui de 12 a 16 *bits* (quanto maior for a quantidade de *bits*, maior será a quantidade de tons de cinza). Quanto ao tamanho de seu FOV, podem ser aparelhos de pequeno ou grande volume, ou a junção de grande e pequeno volume. Após serem adquiridas as imagens, estas são trabalhadas com *softwares* específicos.

As principais vantagens da CBTC em relação à TCFL são as seguintes:

- baixas doses de radiação;
- aparelhos mais compactos;
- imagens com alta resolução;
- tempo de aquisição menor;
- reconstrução direta, sem reformatação dos pontos radiografados por reconstruções axiais, coronais e sagitais;
- menos artefatos metálicos;
- maior qualidade de contraste.

A RM se fundamenta na imagem obtida pelo estímulo eletromagnético dos prótons de hidrogênio, presentes em grande quantidade, principalmente, na água e na gordura corpóreas. Quando os prótons de hidrogênio são colocados em um campo magnético de forte intensidade, geram informações que também são processadas por *softwares* de computador. Consequentemente, os tecidos ósseos, os quais não contêm quantidades significativas de água ou gordura, têm baixa representatividade neste tipo de exploração, ao passo que as lesões de partes moles são observadas com grande exatidão.

As diferentes combinações desses sinais são baseadas no comportamento dos diferentes prótons de hidrogênio, que apresentam diferentes quantidades de energia e se encontram em quantidades diversas nos variados tecidos explorados. Essas combinações permitem análises diversas de acordo com o interesse da investigação.

Por exemplo, tecidos que apresentam maior quantidade de gordura ou proteína são explorados utilizando-se um determinado tempo de relaxamento (quando o próton de hidrogênio volta à sua posição inicial), chamado sequência ponderada em T1; tecidos que apresentam maior quantidade de água são explorados utilizando-se outro tempo de relaxamento determinado, chamado sequência ponderada em T2. Assim, esses tecidos podem aparecer mais escuros ou mais claros de acordo com a sequência escolhida, para que a imagem destaque exatamente o que se deseja explorar. Existem outros tipos de sequência passíveis de serem calibrados, combinando-se essas duas sequências básicas e utilizando-se outros recursos de técnica, com a mesma finalidade.

Quando da eleição do método recente de diagnóstico por imagem, devem-se considerar alguns fatores:

- a facilidade e a disponibilidade de sua utilização;
- o custo envolvido (na ordem: radiografia convencional, US, TC e RM);
- a existência de efeitos deletérios como o uso da radiação ionizante.

QUADRO 2.1 – Densidades nas diferentes modalidades de exames

Exame	Radiografia	Tomografia computadorizada	Ressonância magnética	
Estruturas			T1	T2
Ar	Radiolúcido	Hipodenso	Hipossinal	Hipossinal
Gordura	Radiolúcida	Hipodensa	Hipersinal	Hipossinal
Água	Radiolúcida	Hipodensa	Hipossinal	Hipersinal
Proteínas	Radiolúcida	Isodensa	Isossinal	Isossinal
Tecidos mineralizados	Radiopaco	Hiperdenso	Hipossinal	Hipossinal

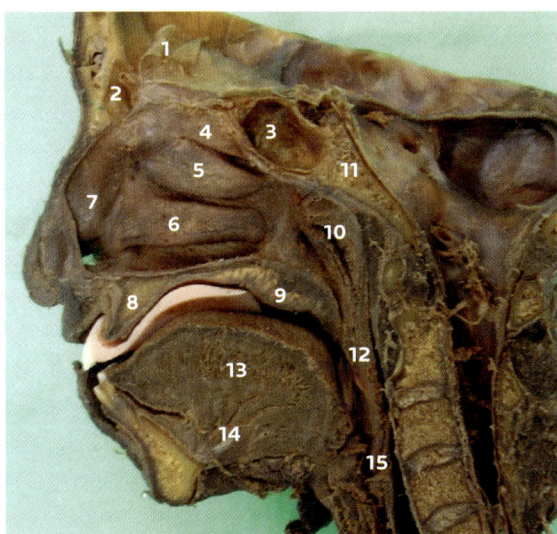

Figura 2.1 – Peça anatômica da face em corte sagital: (1) fossa craniana; (2) seio frontal; (3) seio esfenoidal; (4) concha nasal superior; (5) concha nasal média; (6) concha nasal inferior; (7) vestíbulo da cavidade nasal; (8) maxila; (9) palato mole; (10) parte nasal da faringe; (11) parte basilar do osso occipital; (12) parte oral da faringe; (13) língua; (14) músculo genioglosso; (15) parte laríngea da faringe.

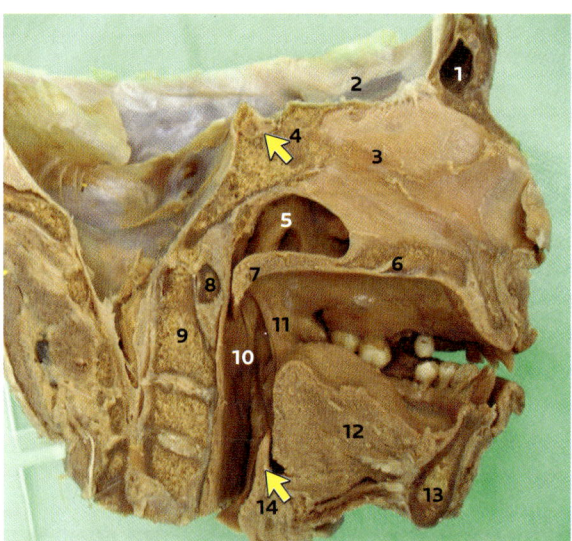

Figura 2.2 – Peça anatômica da face em corte sagital: (1) seio frontal; (2) fossa craniana; (3) septo nasal; (4) sela turca – glândula hipófise; (5) parte nasal da faringe; (6) palato ósseo; (7) palato mole; (8) vértebra atlas; (9) vértebra áxis; (10) parte oral da faringe; (11) prega palatoglosso; (12) língua; (13) mandíbula; (14) epiglote.

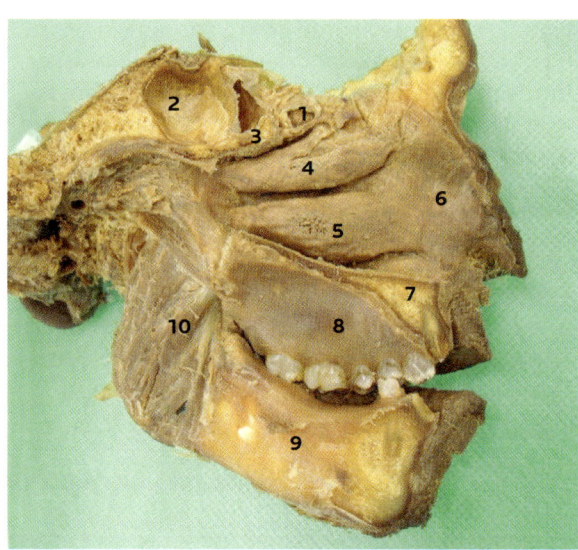

Figura 2.3 – Peça anatômica da face em corte sagital: (1) células etmoidais; (2) seio esfenoidal; (3) concha nasal superior; (4) concha nasal média; (5) concha nasal inferior; (6) vestíbulo da cavidade nasal; (7) maxila (8) palato ósseo; (9) mandíbula; (10) músculo pterigóideo medial.

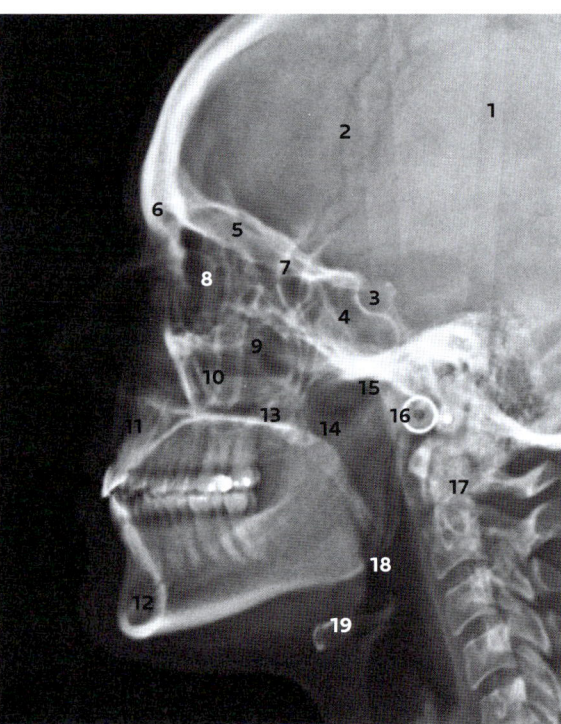

Figura 2.4 – Telerradiografia em norma lateral: (1) fossa craniana; (2) sulco da artéria meníngea média; (3) sela turca; (4) seio esfenoidal; (5) teto da cavidade orbital; (6) seio frontal; (7) asa maior do osso esfenoide; (8) cavidade orbital; (9) seio maxilar; (10) processo zigomático da maxila; (11) maxila; (12) mandíbula; (13) processo pterigoide do osso esfenoide; (14) incisura da mandíbula; (15) cabeça da mandíbula; (16) meato acústico externo; (17) coluna vertebral; (18) faringe; (19) osso hioide.

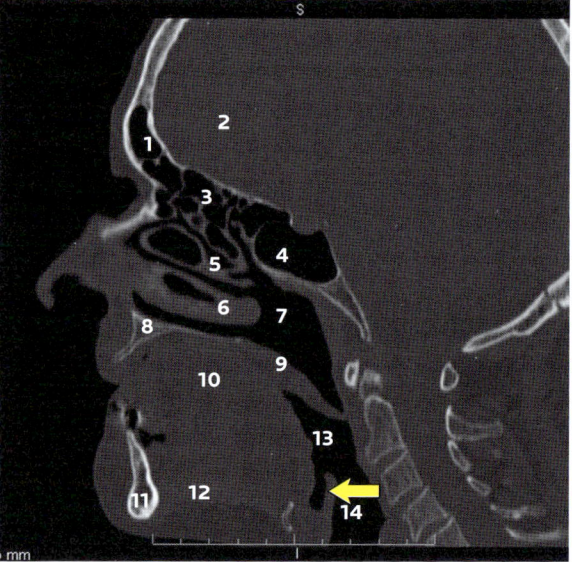

Figura 2.5 – TC helicoidal da face em corte sagital, janela óssea: (1) seio frontal; (2) fossa craniana; (3) células etmoidais; (4) seio esfenoidal; (5) concha nasal média; (6) concha nasal inferior; (7) parte nasal da faringe; (8) maxila; (9) palato mole; (10) língua; (11) mandíbula; (12) músculo milo-hióideo; (13) parte oral da faringe; (14) epiglote.

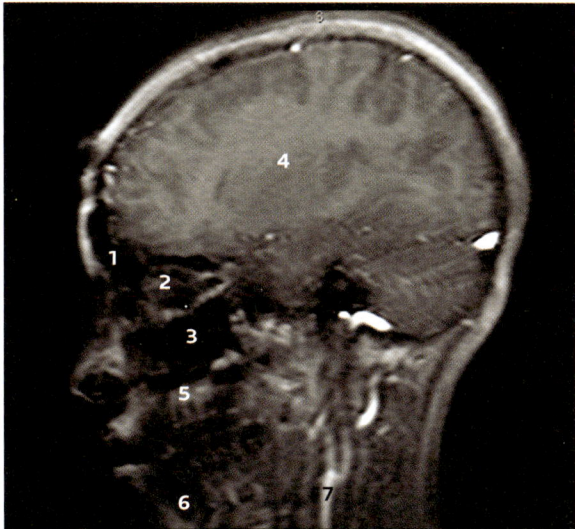

Figura 2.6 – RM da cabeça em corte sagital, T1: (1) seio frontal; (2) órbita; (3) seio maxilar; (4) encéfalo; (5) maxila; (6) mandíbula; (7) artéria carótida comum.

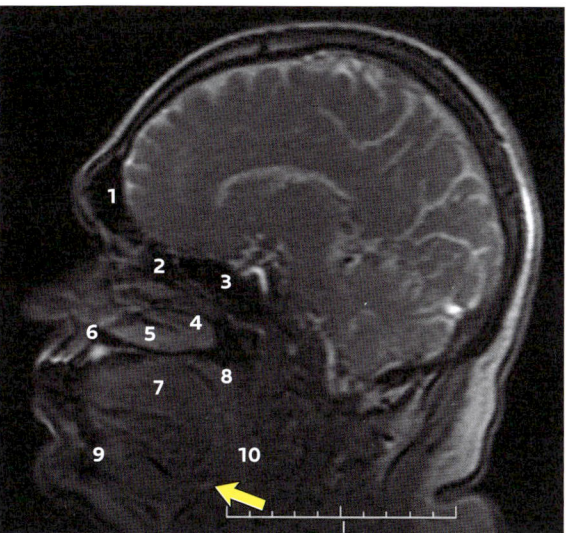

Figura 2.7 – RM da cabeça em corte sagital, T1: (1) seio frontal; (2) células etmoidais; (3) seio esfenoidal; (4) concha nasal média; (5) concha nasal inferior; (6) maxila; (7) língua; (8) palato mole; (9) mandíbula; (10) parte oral da faringe; (seta) epiglote.

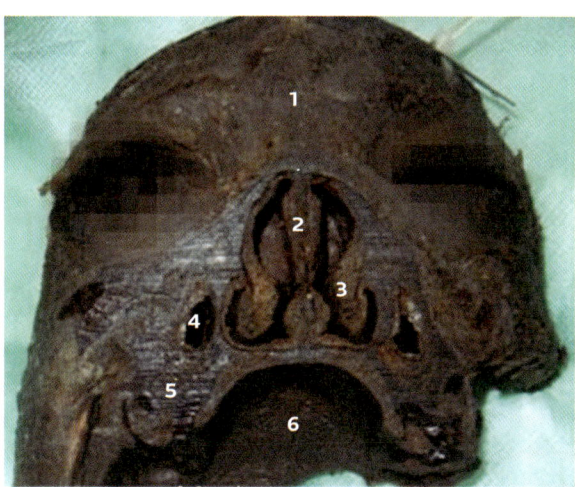

Figura 2.8 – Peça anatômica da face em corte coronal: (1) glabela; (2) septo nasal; (3) concha nasal inferior; (4) seio maxilar; (5) processo alveolar; (6) palato ósseo.

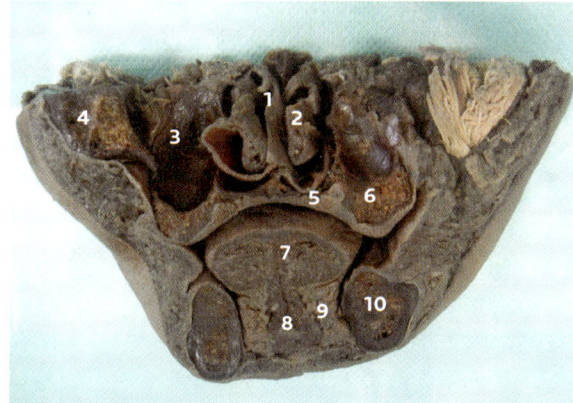

Figura 2.9 – Peça anatômica da face em corte coronal: (1) septo nasal; (2) concha nasal inferior; (3) seio maxilar; (4) osso zigomático; (5) palato ósseo; (6) processo alveolar da maxila; (7) língua; (8) músculo genio-hióideo; (9) glândula sublingual; (10) mandíbula.

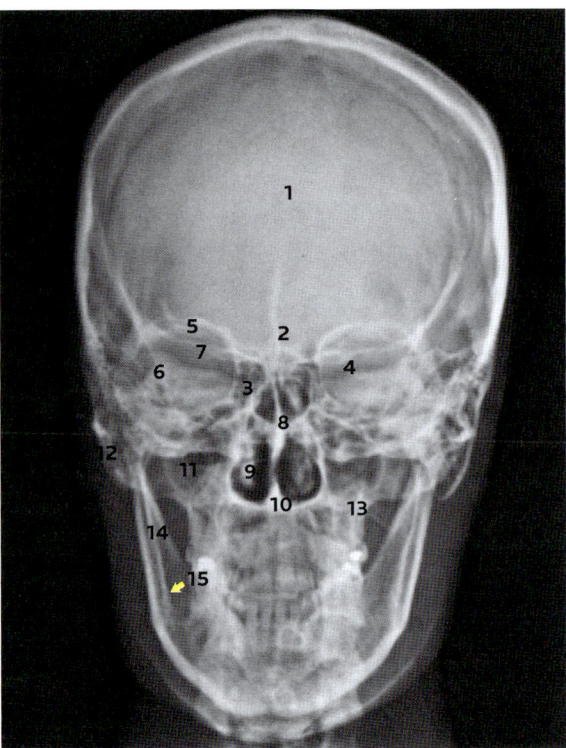

Figura 2.10 – Radiografia posteroanterior de mandíbula: (1) fossa craniana; (2) crista etmoidal; (3) células etmoidais; (4) fissura orbital superior; (5) teto da cavidade orbital; (6) asa maior do osso esfenoide; (7) asa menor do osso esfenoide; (8) septo nasal; (9) concha nasal inferior; (10) espinha nasal anterior; (11) seio maxilar; (12) processo mastoide do osso temporal; (13) crista zigomáticoalveolar; (14) ramo da mandíbula; (15) linha oblíqua.

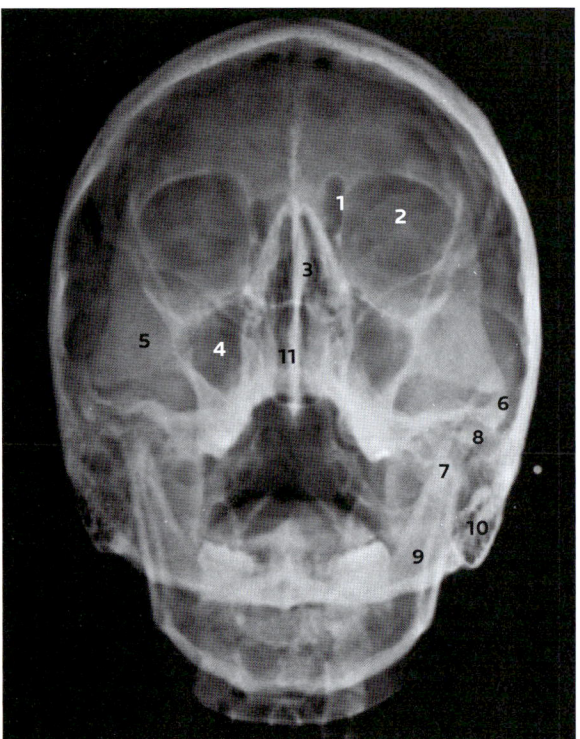

Figura 2.11 – Radiografia posteroanterior para seios maxilares: (1) seio frontal; (2) cavidade orbital; (3) cavidade nasal; (4) seio maxilar; (5) osso zigomático; (6) arco zigomático; (7) processo coronoide da mandíbula; (8) processo condilar da mandíbula; (9) ramo da mandíbula; (10) processo mastoide do osso temporal; (11) seio esfenoidal.

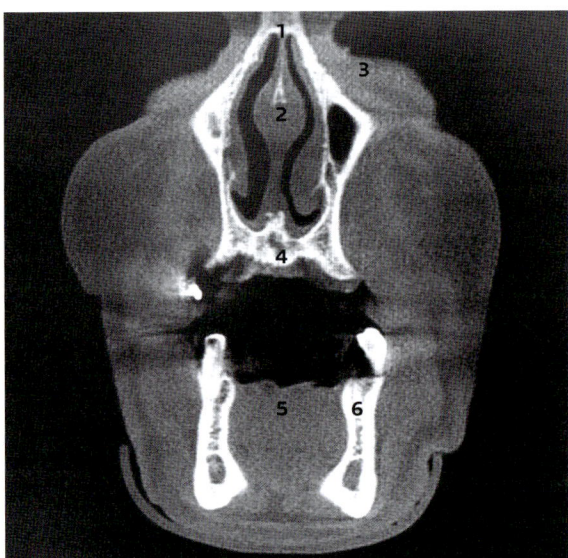

Figura 2.12 – CBTC da face em corte coronal: (1) ossos nasais; (2) septo nasal; (3) órbita; (4) maxila; (5) língua; (6) mandíbula.

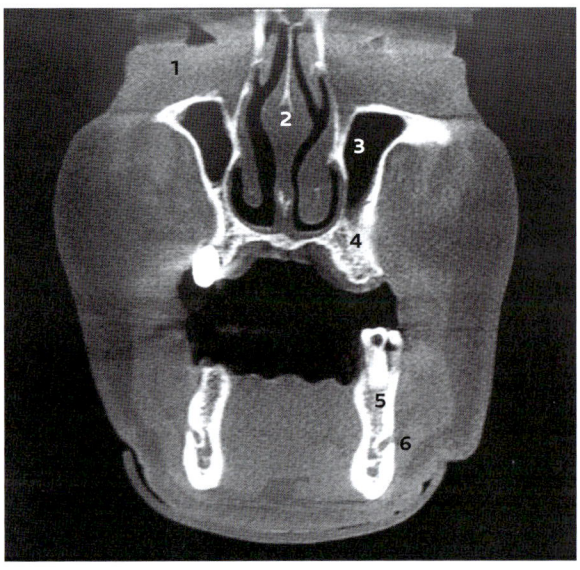

Figura 2.13 – CBTC da face em corte coronal: (1) órbita; (2) septo nasal; (3) seio maxilar; (4) maxila; (5) mandíbula; (6) forame mentual.

Imaginologia

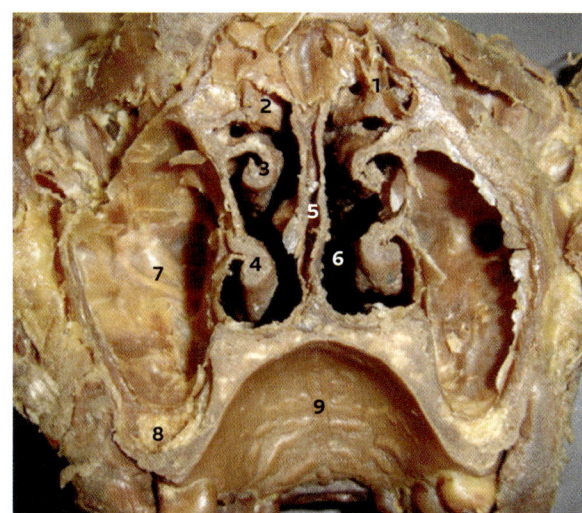

Figura 2.14 – Peça anatômica da face em corte coronal: (1) células etmoidais; (2) concha nasal superior; (3) concha nasal média; (4) concha nasal inferior; (5) septo nasal; (6) cavidade nasal; (7) seio maxilar; (8) processo alveolar da maxila; (9) palato ósseo.

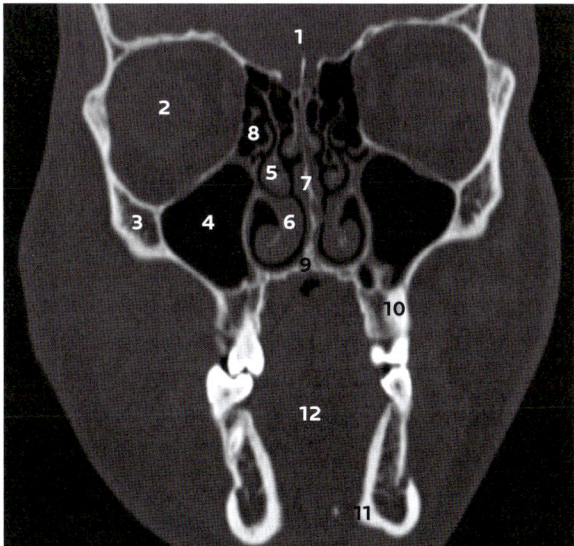

Figura 2.15 – TC helicoidal da face em corte coronal, janela óssea: (1) fossa craniana; (2) órbita (globo ocular); (3) osso zigomático; (4) seio maxilar; (5) concha nasal média; (6) concha nasal inferior; (7) septo nasal; (8) células etmoidais; (9) palato ósseo; (10) maxila; (11) base da mandíbula; (12) língua.

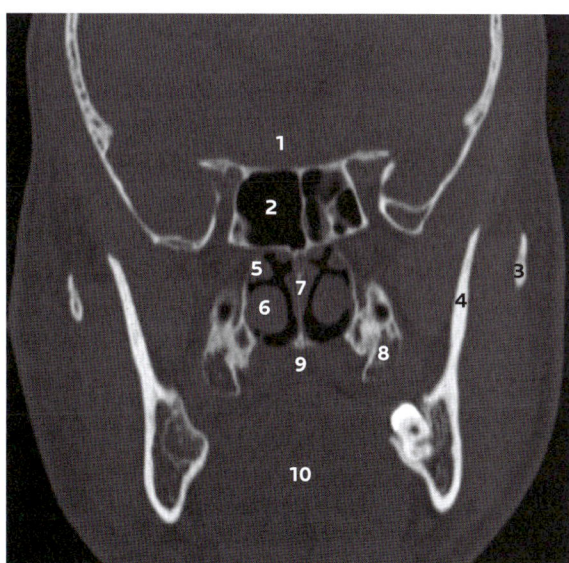

Figura 2.16 – TC helicoidal da face em corte coronal, janela óssea: (1) fossa craniana; (2) seio esfenoidal; (3) arco zigomático; (4) ramo da mandíbula; (5) concha nasal média; (6) concha nasal inferior; (7) septo nasal; (8) processo pterigoide do osso esfenoide; (9) palato mole; (10) língua.

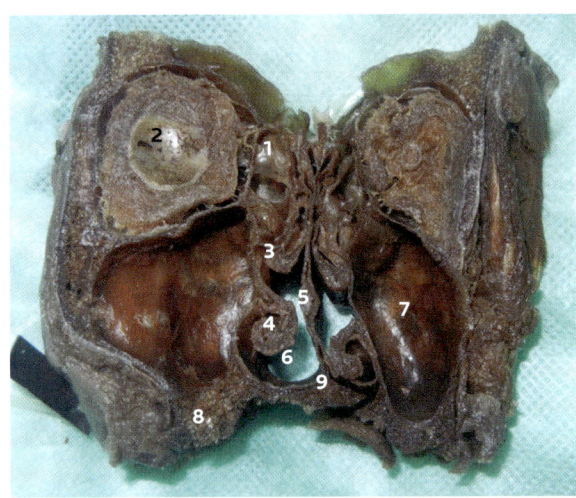

Figura 2.17 – Peça anatômica da face em corte coronal: (1) células etmoidais; (2) globo ocular; (3) concha nasal média; (4) concha nasal inferior; (5) septo nasal; (6) cavidade nasal; (7) seio maxilar; (8) processo alveolar da maxila; (9) palato ósseo.

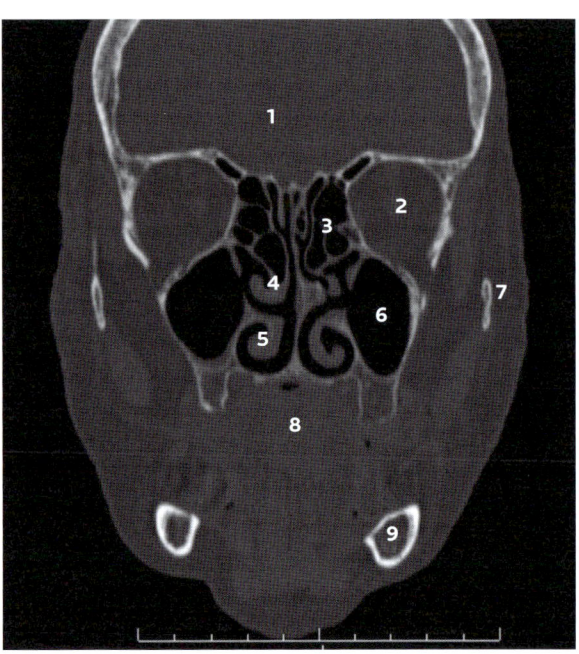

Figura 2.18 – TC helicoidal da face em corte coronal, janela óssea: (1) fossa craniana; (2) cavidade orbital; (3) células etmoidais; (4) concha nasal média; (5) concha nasal inferior; (6) seio maxilar; (7) arco zigomático; (8) cavidade oral; (9) mandíbula.

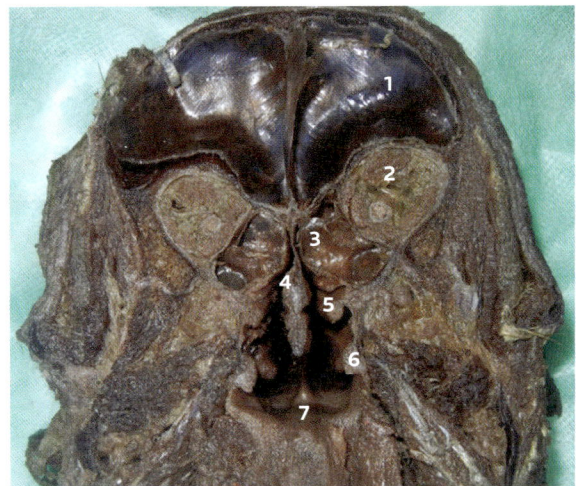

Figura 2.19 – Peça anatômica da face em corte coronal: (1) fossa craniana anterior; (2) globo ocular; (3) células etmoidais; (4) septo nasal; (5) concha nasal média; (6) concha nasal inferior; (7) palato mole.

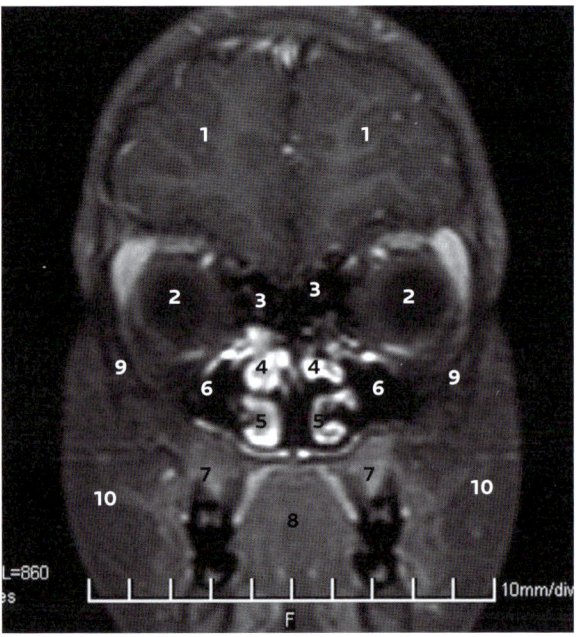

Figura 2.20 – RM da face em corte coronal, T1: (1) hemisfério cerebral; (2) globo ocular; (3) seio esfenoidal; (4) concha nasal média; (5) concha nasal inferior; (6) seio maxilar; (7) maxila; (8) língua; (9) osso zigomático; (10) região geniana.

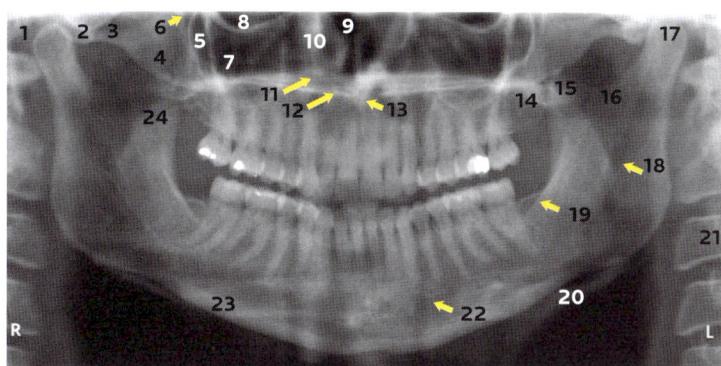

Figura 2.21 – Radiografia panorâmica digital: (1) fossa da mandíbula; (2) tubérculo articular do osso temporal; (3) arco zigomático; (4) osso zigomático; (5) parede lateroposterior do seio maxilar; (6) fossa pterigopalatina; (7) seio maxilar; (8) cavidade orbital; (9) cavidade nasal; (10) septo nasal; (11) soalho da cavidade nasal; (12) palato ósseo; (13) espinha nasal anterior; (14) tuberosidade da maxila; (15) processo pterigoide do osso esfenoide; (16) incisura da mandíbula; (17) cabeça da mandíbula; (18) canal da mandíbula; (19) linha oblíqua; (20) osso hioide; (21) coluna vertebral; (22) forame mentual; (23) base da mandíbula; (24) processo coronoide da mandíbula.

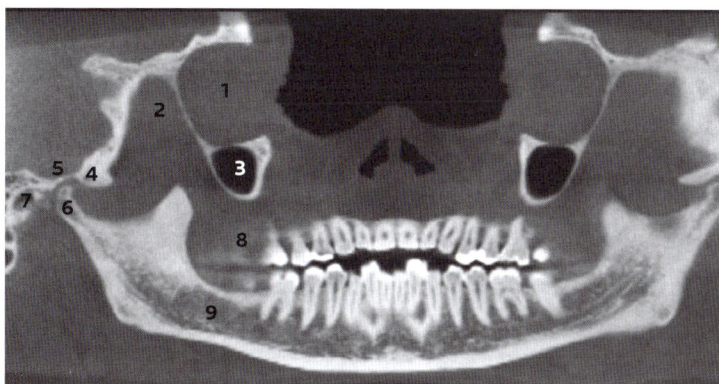

Figura 2.22 – TC da face em corte panorâmico: (1) órbita; (2) fossa temporal; (3) seio maxilar; (4) tubérculo articular do osso temporal; (5) fossa da mandíbula; (6) cabeça da mandíbula; (7) meato acústico externo; (8) maxila; (9) mandíbula.

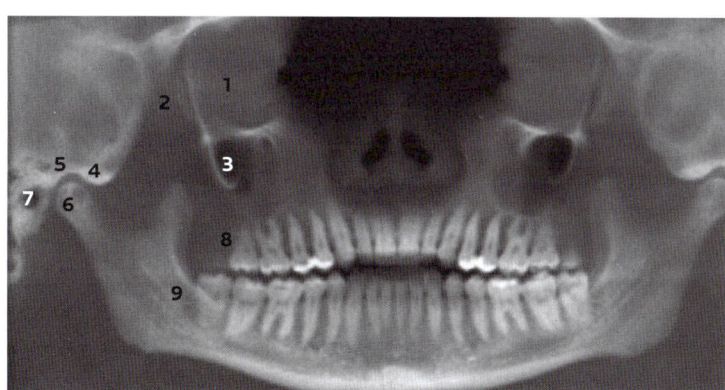

Figura 2.23 – TC da face em corte panorâmico: (1) cavidade orbital; (2) fossa temporal; (3) seio maxilar; (4) tubérculo articular do osso temporal; (5) fossa da mandíbula; (6) cabeça da mandíbula; (7) meato acústico externo; (8) maxila; (9) mandíbula.

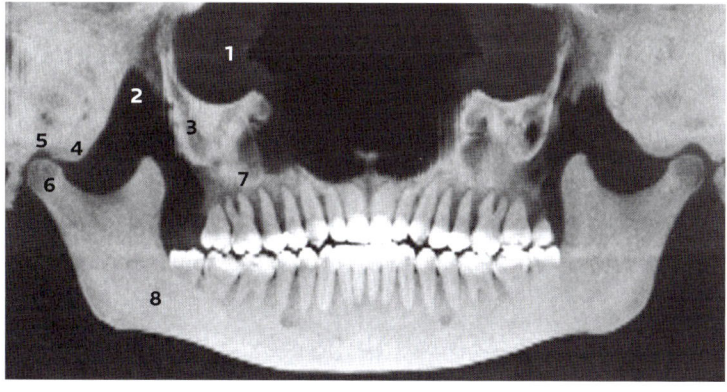

Figura 2.24 – TC da face em corte panorâmico: (1) órbita; (2) fossa temporal; (3) osso zigomático; (4) tubérculo articular do osso temporal; (5) fossa da mandíbula; (6) cabeça da mandíbula; (7) maxila; (8) mandíbula.

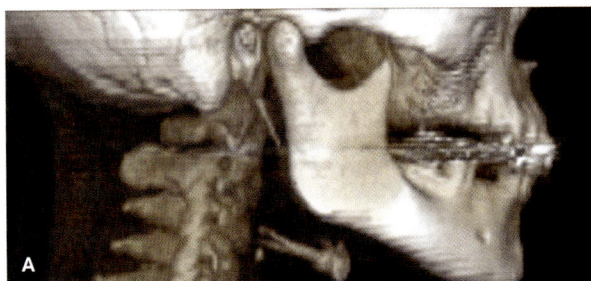
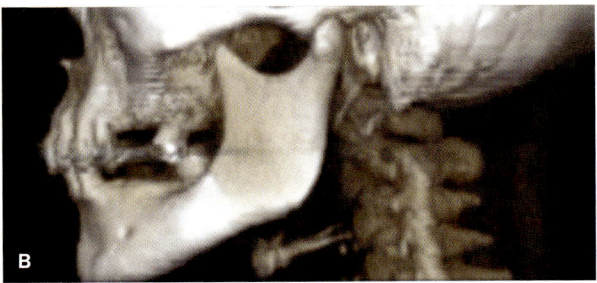
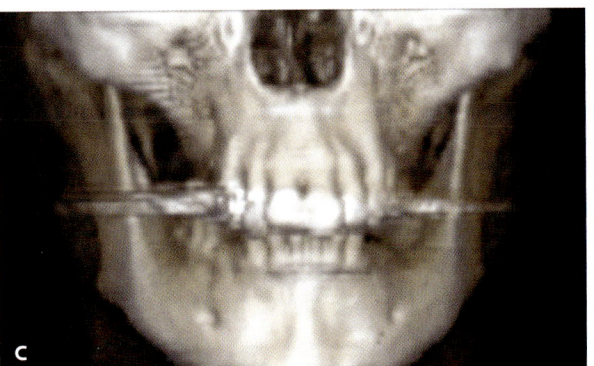

Figura 2.25 – (A, B, C) Reconstrução volumétrica de TC: (A) norma lateral direita, (B) norma lateral esquerda e (C) norma anterior.

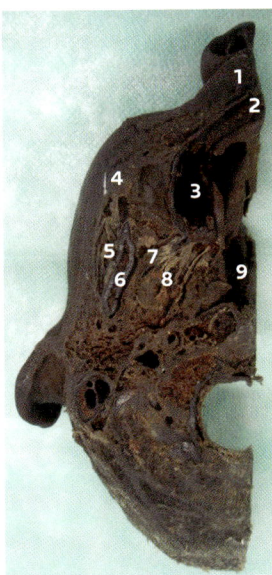
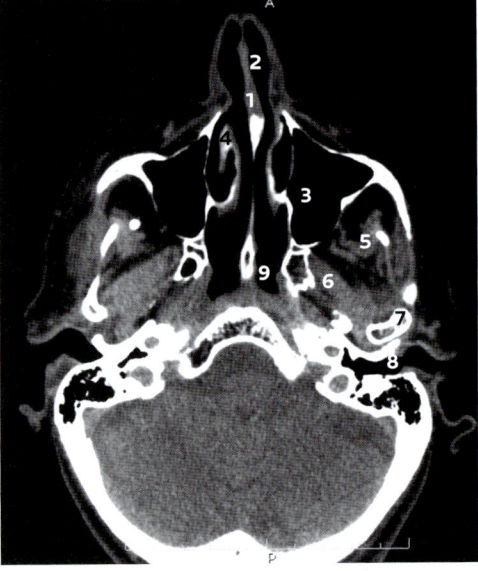
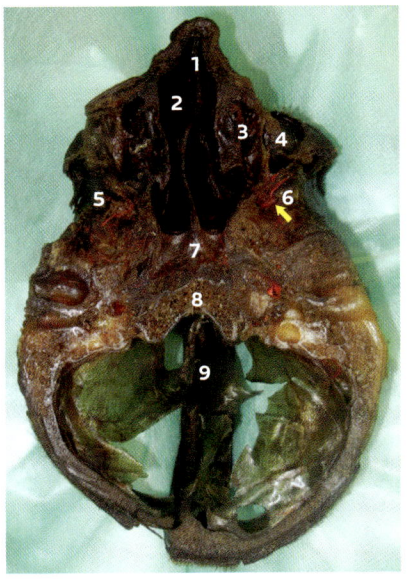

Figura 2.26 – Peça anatômica da face em corte axial: (1) lábio superior; (2) região de incisivos centrais superiores; (3) seio maxilar; (4) osso zigomático; (5) músculo masseter; (6) ramo da mandíbula; (7) músculo pterigóideo lateral; (8) músculo pterigóideo medial; (9) parte oral da faringe.

Figura 2.27 – TC helicoidal da face em corte axial, janela óssea: (1) septo nasal; (2) cavidade nasal; (3) seio maxilar; (4) concha nasal inferior; (5) músculo temporal; (6) músculo pterigóideo lateral; (7) cabeça da mandíbula; (8) canal auditivo; (9) parte nasal da faringe.

Figura 2.28 – Peça anatômica da face em corte axial: (1) septo nasal; (2) cavidade nasal; (3) seio maxilar; (4) órbita; (5) músculo temporal; (6) asa maior do osso esfenoide; (7) parte nasal da faringe; (8) parte basilar do osso occipital; (9) fossa craniana; (seta) artéria maxilar.

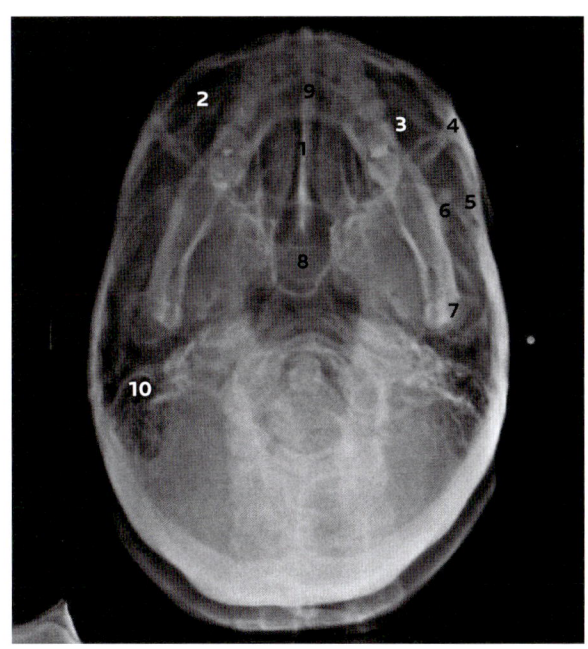

Figura 2.29 – Radiografia axial do crânio: (1) cavidade nasal; (2) cavidade orbital; (3) seio maxilar; (4) osso zigomático; (5) arco zigomático; (6) processo coronoide da mandíbula; (7) processo condilar da mandíbula; (8) seio esfenoidal; (9) mento; (10) processo mastoide do osso temporal.

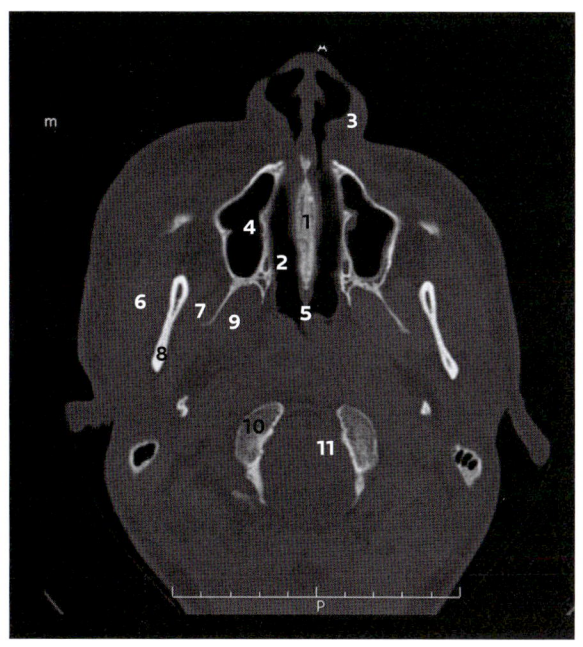

Figura 2.30 – TC helicoidal da face em corte axial, janela óssea: (1) septo nasal; (2) fossa nasal; (3) pirâmide nasal; (4) seio maxilar; (5) parte oral da faringe; (6) músculo masseter; (7) músculo pterigóideo medial; (8) mandíbula; (9) músculo pterigóideo medial; (10) côndilo occipital; (11) forame magno.

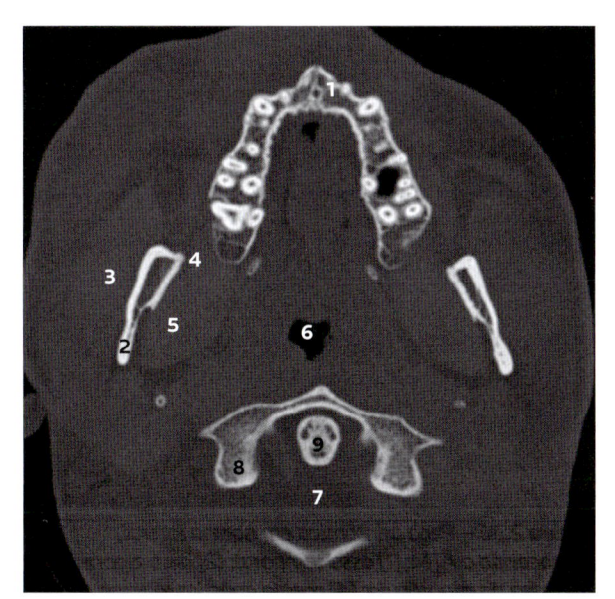

Figura 2.31 – TC helicoidal da face em corte axial, janela óssea: (1) maxila; (2) mandíbula; (3) músculo masseter; (4) músculo pterigóideo lateral; (5) músculo pterigóideo medial; (6) parte oral da faringe; (7) canal vertebral; (8) vértebra atlas; (9) vértebra áxis.

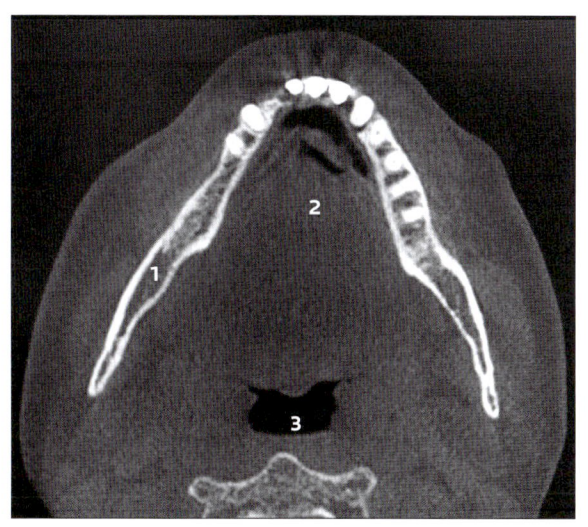

Figura 2.32 – CBTC da face em corte axial: (1) mandíbula; (2) soalho da cavidade oral; (3) parte oral da faringe.

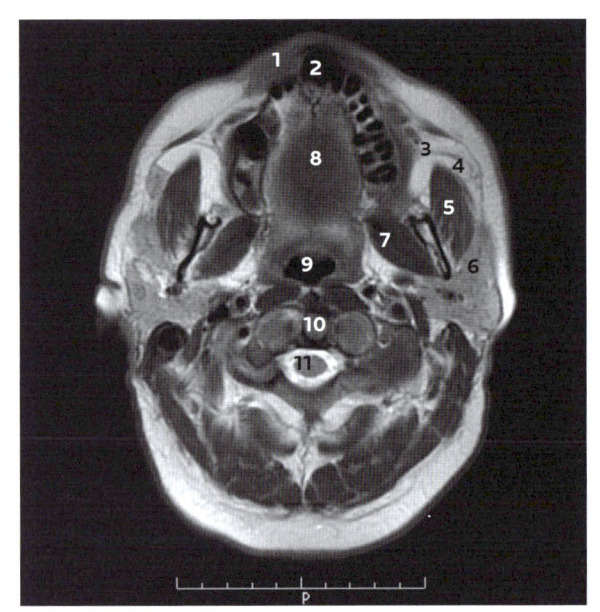

Figura 2.33 – RM da face em corte axial, T1: (1) lábio superior; (2) incisivos centrais superiores; (3) crista zigomaticoalveolar; (4) osso zigomático; (5) músculo masseter; (6) ramo da mandíbula; (7) músculo pterigóideo lateral; (8) palato ósseo; (9) parte oral da faringe; (10) dente do áxis; (11) medula espinal.

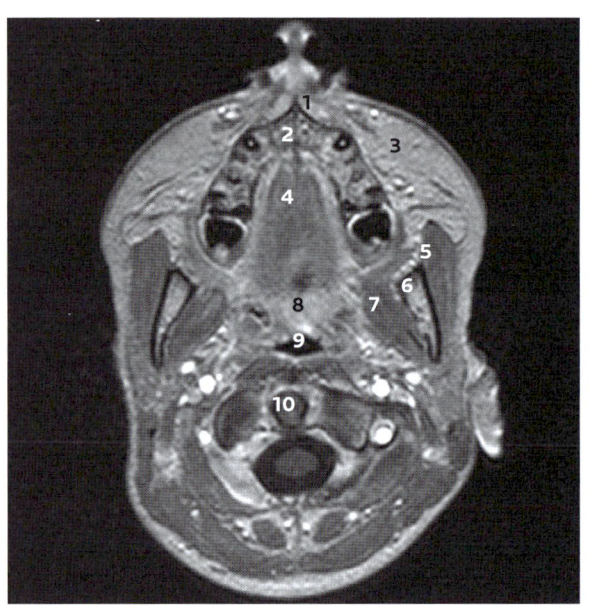

Figura 2.34 – RM da face em corte axial, FSE: (1) lábio superior; (2) incisivos centrais superiores; (3) região geniana; (4) palato ósseo; (5) músculo masseter; (6) ramo da mandíbula; (7) músculo pterigóideo lateral; (8) palato ósseo; (9) parte oral da faringe; (10) dente do áxis.

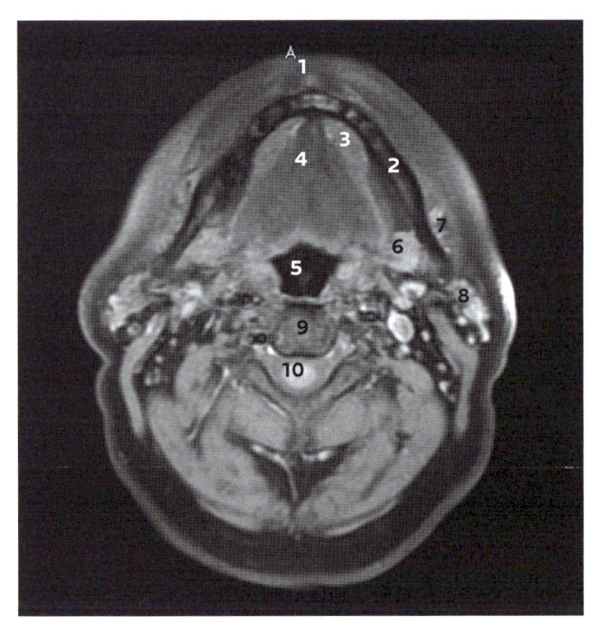

Figura 2.35 – RM da face em corte axial, T2: (1) lábio inferior; (2) mandíbula; (3) glândula sublingual; (4) músculo genioglosso; (5) parte oral da faringe; (6) músculo pterigóideo medial; (7) músculo masseter; (8) glândula parótida; (9) vértebra cervical; (10) medula espinal.

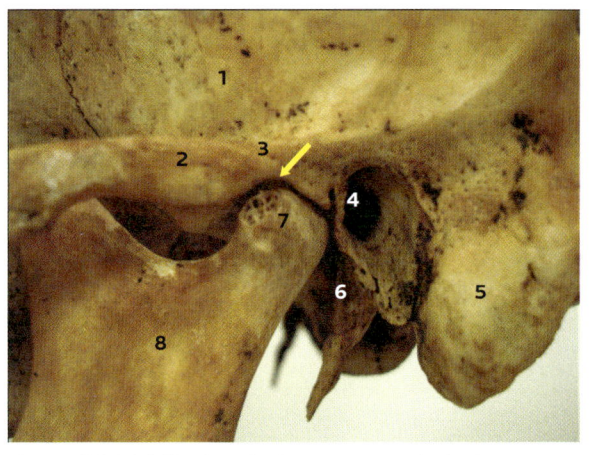

Figura 2.36 – Peça anatômica em norma lateral, destacando a ATM: (1) osso temporal; (2) arco zigomático; (3) fossa da mandíbula; (4) meato acústico externo; (5) processo mastoide do osso temporal; (6) processo estiloide do osso temporal; (7) cabeça da mandíbula; (8) ramo da mandíbula.

Imaginologia 39

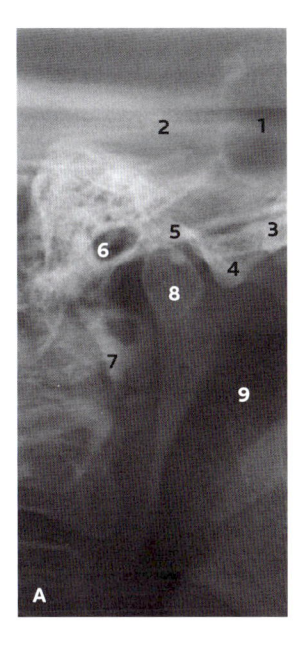

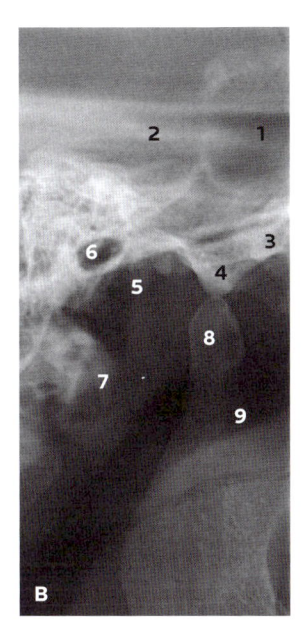

Figura 2.37 – Radiografia da ATM em posição de boca fechada (A) e boca aberta (B): (1) cavidade orbital; (2) fossa temporal; (3) osso zigomático; (4) tubérculo articular do osso temporal; (5) fossa da mandíbula; (6) meato acústico externo; (7) processo estiloide do osso temporal; (8) cabeça da mandíbula; (9) espaço faríngeo.

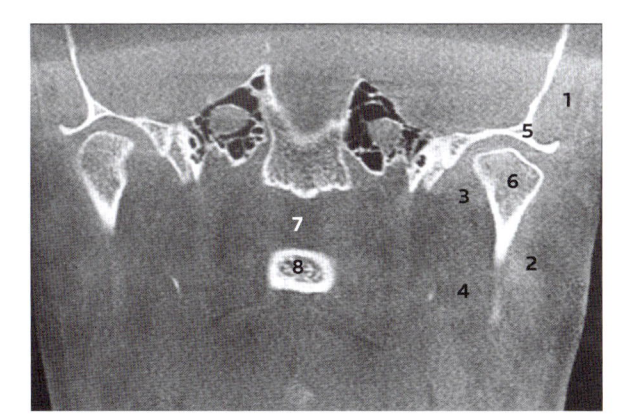

Figura 2.38 – CBTC da ATM em corte coronal: (1) músculo temporal; (2) músculo masseter; (3) músculo pterigóideo lateral; (4) músculo pterigóideo medial; (5) osso temporal; (6) cabeça da mandíbula; (7) sela turca; (8) dorso da sela.

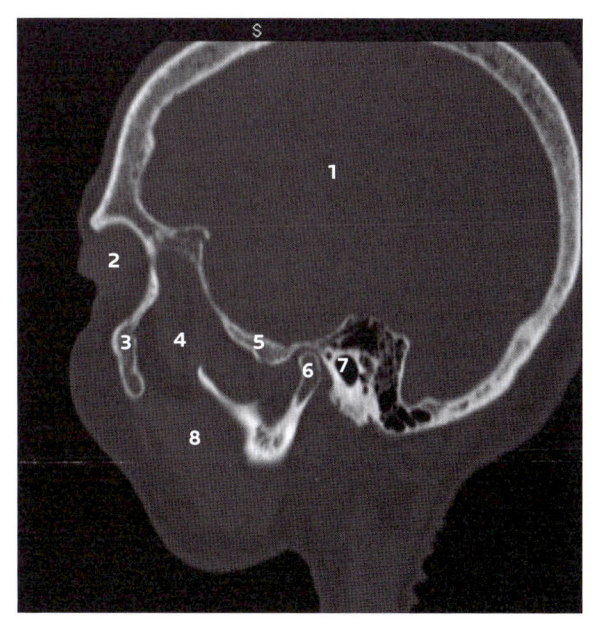

Figura 2.39 – TC helicoidal da ATM em janela óssea: (1) fossa craniana; (2) órbita; (3) osso zigomático; (4) músculo temporal; (5) tubérculo articular do osso temporal; (6) cabeça da mandíbula; (7) meato acústico externo; (8) músculo masseter.

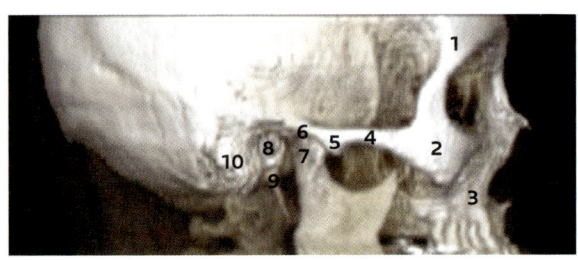

Figura 2.40 – Reconstrução de TC 3D, boca fechada: (1) osso frontal; (2) osso zigomático; (3) maxila; (4) arco zigomático; (5) tubérculo articular do osso temporal; (6) fossa da mandíbula; (7) cabeça da mandíbula; (8) meato acústico externo; (9) processo estiloide do osso temporal; (10) processo mastoide do osso temporal.

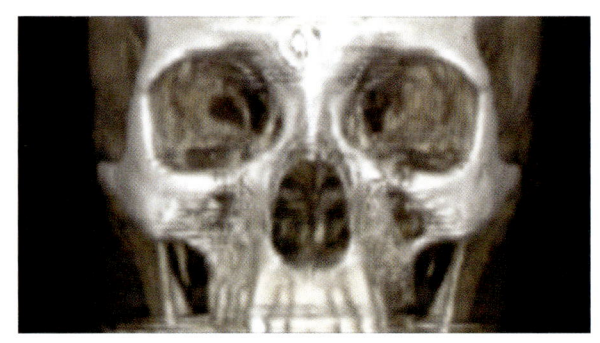

Figura 2.41 – Reconstrução de TC 3D – norma frontal.

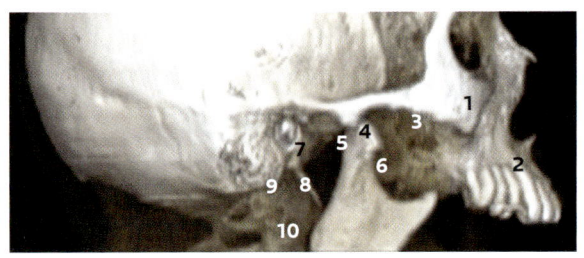

Figura 2.42 – Reconstrução de TC 3D, boca aberta: (1) osso zigomático; (2) maxila; (3) arco zigomático; (4) tubérculo articular do osso temporal; (5) fossa da mandíbula; (6) cabeça da mandíbula; (7) meato acústico externo; (8) processo estiloide do osso temporal; (9) processo mastoide do osso temporal; (10) coluna vertebral.

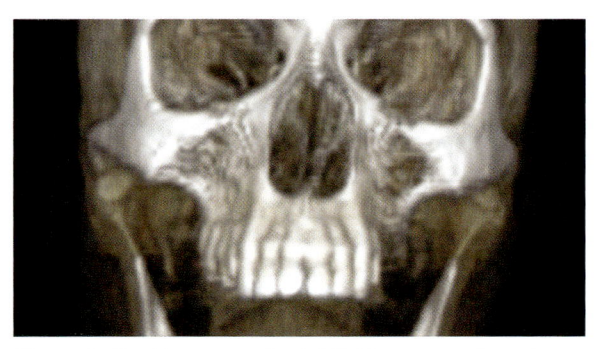

Figura 2.43 – Reconstrução de TC 3D – norma frontal.

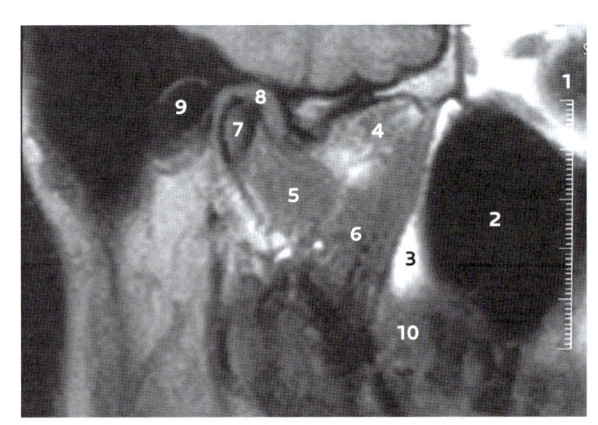

Figura 2.44 – RM da ATM em corte sagital, T1: (1) órbita; (2) seio maxilar; (3) tuberosidade da maxila; (4) músculo pterigóideo lateral – ventre superior; (5) músculo pterigóideo lateral – ventre inferior; (6) músculo pterigóideo medial; (7) cabeça da mandíbula; (8) disco articular; (9) meato acústico externo; (10) maxila.

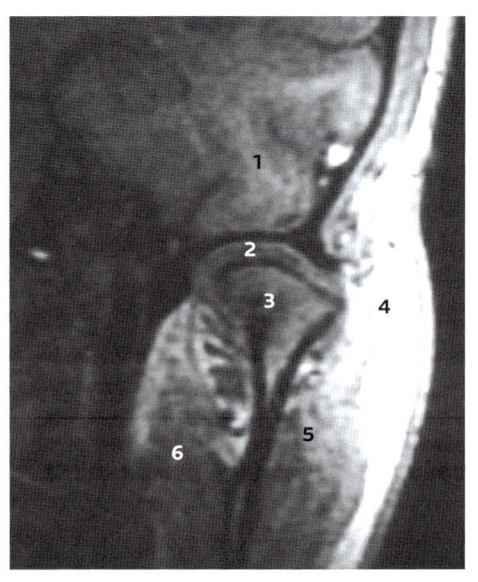

Figura 2.45 – RM da ATM em corte coronal, T1: (1) encéfalo; (2) disco articular; (3) cabeça da mandíbula; (4) região geniana; (5) músculo masseter; (6) músculo pterigóideo medial.

Estudo tomográfico das cavidades paranasais

MARIA JOSÉ A. P. S. TUCUNDUVA
RAUL RENATO CARDOZO DE MELLO TUCUNDUVA NETO
EVÂNGELO TADEU TERRA FERREIRA

A **cavidade nasal** corresponde à primeira porção do sistema respiratório. É por meio dessa cavidade anatômica que o ar entra no organismo e passa pelas primeiras modificações para que possa ser aproveitado.

A abertura anterior da cavidade nasal é constituída por dois orifícios na base da pirâmide nasal: as **narinas**. Ao passar pelas narinas, o ar atravessa o vestíbulo e chega à porção média e posterior dessa cavidade.

A cavidade nasal é dividida pelo **septo nasal**, que forma sua parede medial, em dois corredores. Na parede lateral há três saliências ósseas – as conchas nasais superior, média e inferior – que protegem os óstios de drenagem dos seios paranasais.

Os **seios paranasais** (Fig. 3.1), por sua vez, são cavidades naturais localizadas no interior de alguns ossos do crânio e da face. São todos embriologicamente duplos, mas podem variar de forma e tamanho, e podem se apresentar como uma cavidade simples ou possuir uma gama grande de variações anatômicas.

Os **seios maxilares**, que cavitam o corpo da maxila, são os seios paranasais mais volumosos, chegando a 13cm^3. Geralmente são piramidais, mas também já foram descritos como cuboides. Considerados de acordo com a largura da cavidade orbital, são classificados como hipoplásicos, quando sua largura está aquém da metade da largura da cavidade orbital, e hiperplásicos, quando ultrapassam a borda lateral da cavidade orbital. Podem estar ausentes (agenesia) ou duplicados, quando houver duas cavidades separadas.

Por vezes, são observados **septos intraósseos**, que nas radiografias intraorais são identificados como um "W"sinusal. Seu assoalho pode estender-se anteriormente, para o osso alveolar, quando houver

OBJETIVOS DE APRENDIZAGEM:

- Conhecer e caracterizar todas as estruturas relacionadas às cavidades nasais e paranasais
- Identificar de que maneira tais estruturas se apresentam em imagens tomográficas e radiográficas, tanto em situação de normalidade quanto em casos de alterações

ausência de elementos dentais, ou posteriormente, para o túber da maxila. A drenagem desses seios é feita pela unidade ostiomeatal, área delimitada pelo processo uncinado e pela bolha etmoidal do osso etmoide, no encontro deste osso com a maxila. Dessa maneira, o seio abre-se no meato nasal médio, espaço abaixo da concha nasal média.

O **seio frontal** localiza-se na escama do osso de mesmo nome, podendo expandir-se pela lâmina orbital. É encontrado duplo ou fusionado em uma cavidade, e esta pode conter um septo incompleto. Seu volume é, em média, de 3,7cm^3. Assim como os demais seios, o frontal pode estar ausente. Apresenta-se hipoplásico quando seu teto estiver abaixo da linha horizontal que tangencia as bordas supraorbitais ou hiperplásico quando pneumatizar em diferentes graus a escama do frontal. Sua drenagem é no meato nasal médio, à frente da unidade ostiomeatal, no hiato semilunar.

O **seio esfenoidal** ocupa a porção mais anterior do corpo do osso esfenoide. Assim como o seio frontal, quando há uma cavidade apenas, é frequente conter um septo incompleto. Normalmente apresenta cerca de 3,5cm^3 de volume. Pode apresentar expansões que venham a pneumatizar desde o dorso da sela turca até os processos clinoides anteriores e asas maior e menor superiormente, e os processos pterigoides inferiormente. Sua drenagem não ocorre nos meatos, mas no espaço posterossuperior do teto da cavidade nasal, denominado recesso esfenoetmoidal.

Por último, as células etmoidais formam um conjunto chamado **labirinto etmoidal ou seio etmoidal**, com 5,5cm^3, disposto entre a lâmina orbital do osso etmoide (na parede medial da cavidade orbital) e a parede lateral da cavidade nasal. Essas células são cavitações menores do que os seios e são subdivididas em grupo anterior, médio e posterior. Como regra, as células etmoidais anteriores e médias drenam no meato nasal médio, e as células etmoidais posteriores drenam no meato nasal superior.

A região relacionada a essas células é a que apresenta maior número de variações, visto que disputam o espaço com os outros seios

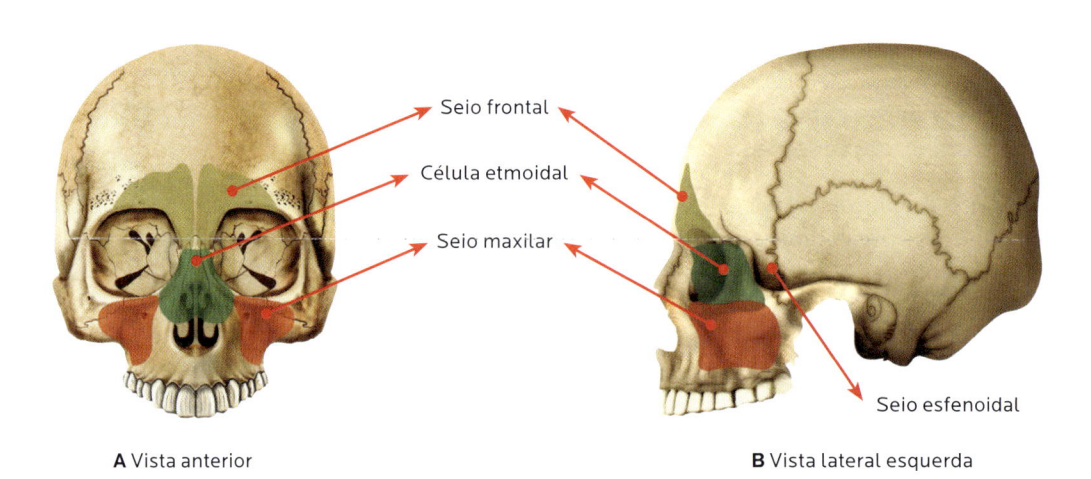

A Vista anterior   **B** Vista lateral esquerda

Figura 3.1 – Localização dos seios paranasais.
Fonte: Gilroy e colaboradores.[1]

paranasais, pois estão relacionadas a todos eles. Quando há uma célula etmoidal localizada posteriormente ao ducto lacrimonasal e à frente da implantação da concha nasal média, esta é chamada de célula da crista do nariz (agger nasi); quando está localizada no teto da cavidade orbital, é chamada supraorbital; quando localizada no assoalho da cavidade orbital, chama-se infraorbital (Haller); por vezes uma célula etmoidal pode dividir o espaço com o seio maxilar, denominando-se célula etmomaxilar; ou pode dividir espaço com o seio esfenoidal, caso denominado célula esfenoetmoidal (Onodi).

Os seios paranasais são apresentados na Fig. 3.2.

Outras estruturas da cavidade nasal podem sofrer pneumatização, como o palato, o septo nasal, as conchas nasais (conchas bolhosas) e o processo uncinado. Pode ainda haver deformações ósseas, como o desvio de septo nasal e a curvatura paradoxal da concha nasal, quando esta mostrar, ao invés da sua convexidade para o septo nasal, uma concavidade.

A **mucosa** que reveste todas as estruturas anatômicas da cavidade nasal e dos seios paranasais é constituída de epitélio pseudoestratificado colunar ciliado, que aquece, filtra e umidifica o ar. Nesse epitélio há células caliciformes produtoras de **muco**, o qual participa da defesa e da higienização dessa região. Quando sofremos agressão do meio ambiente ou de microrganismos patogênicos, há um aumento na produção desse muco, com consequente edema na mucosa de revestimento. A existência de variações anatômicas pode dificultar a drenagem dos seios, favorecendo o estabelecimento de afecções sinusais.

A observação da cavidade nasal e dos seios paranasais é realizada, inicialmente, por meio das seguintes técnicas:

- radiografia extraoral posteroanterior, para seios maxilares (técnica de Waters);
- radiografia extraoral posteroanterior, para seios frontal e etmoidal (técnica de Caldwell);
- perfil de crânio, para exame dos seios maxilar, esfenoidal e frontal.

Tais incidências radiográficas permitem a observação mais rudimentar das cavidades. Devido à sobreposição radiográfica, dificilmente se podem observar as células etmoidais e suas variações.

Havendo necessidade de realizar exploração e descrição detalhadas da cavidade nasal e dos seios paranasais, o exame preconizado é a TC helicoidal, que permite a compreensão da anatomia dessa região, podendo-se destacar a estrutura óssea, quando se utiliza o recurso de janela para tecidos duros, e promovendo uma sugestão da condição de saúde da mucosa, quando se lança mão da janela para tecidos moles.

LEMBRETE

A presença de variações anatômicas na cavidade nasal e nos seios paranasais tem uma grande relevância clínica.

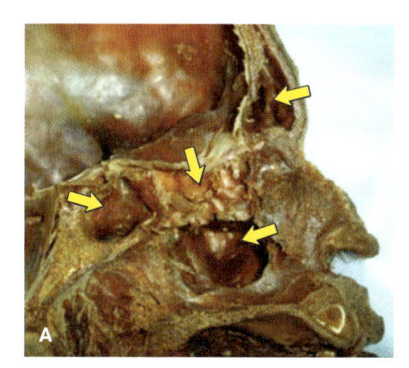

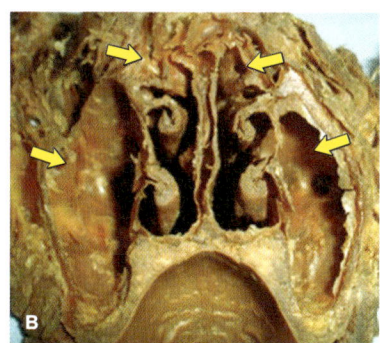

Figura 3.2 – Seios paranasais na peça anatômica: (A) corte sagital; (B) corte coronal.

NORMALIDADE

As Figs. 3.3 a 3.14, a seguir, ilustram os padrões de normalidade para as cavidades nasais em radiografias e TCs.

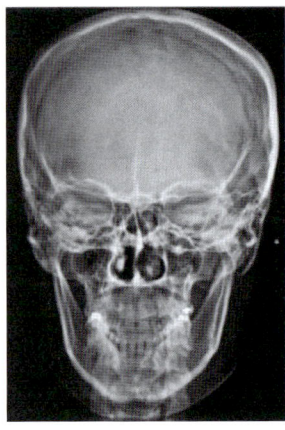

Figura 3.3 – Radiografia posteroanterior de mandíbula.

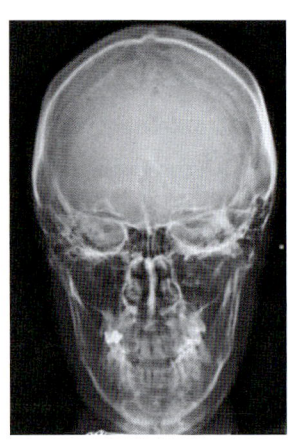

Figura 3.4 – Radiografia posteroanterior para seio frontal (técnica de Caldwell).

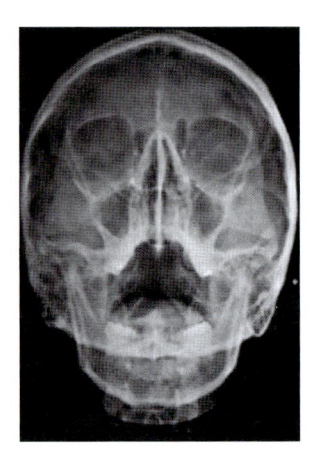

Figura 3.5 – Radiografia posteroanterior para seios maxilares.

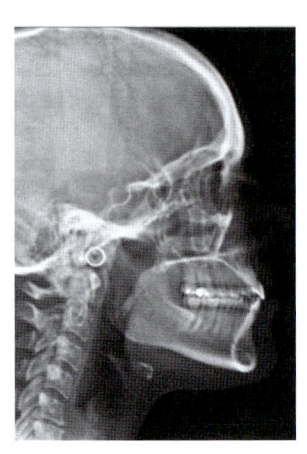

Figura 3.6 – Telerradiografia em norma lateral.

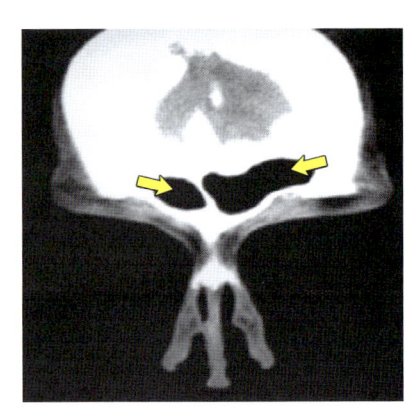

Figura 3.7 – Corte coronal do seio frontal.

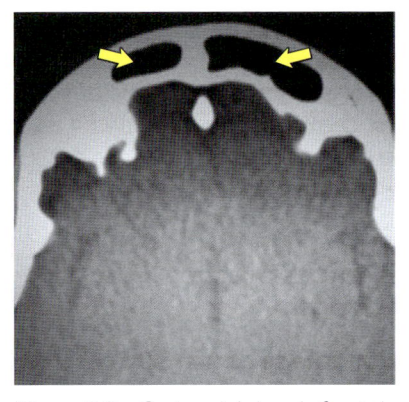

Figura 3.8 – Corte axial do seio frontal.

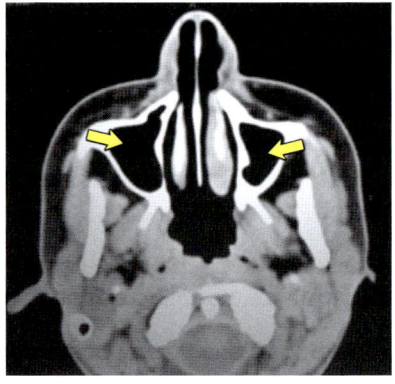

Figura 3.9 – Corte axial dos seios maxilares.

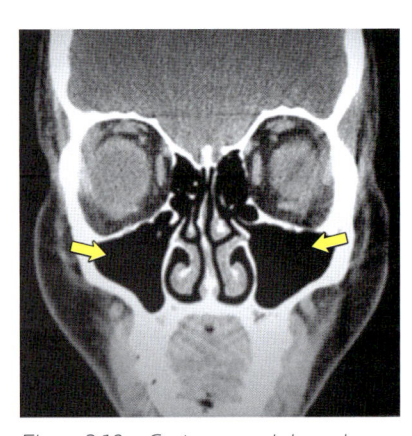

Figura 3.10 – Corte coronal dos seios maxilares.

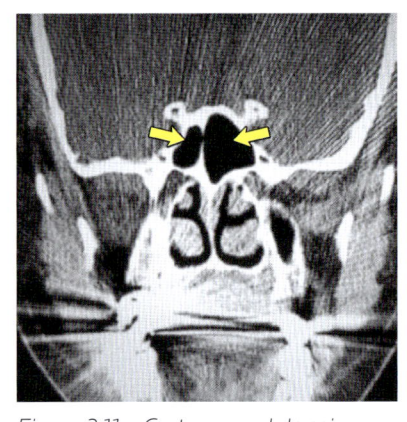

Figura 3.11 – Corte coronal do seio esfenoidal.

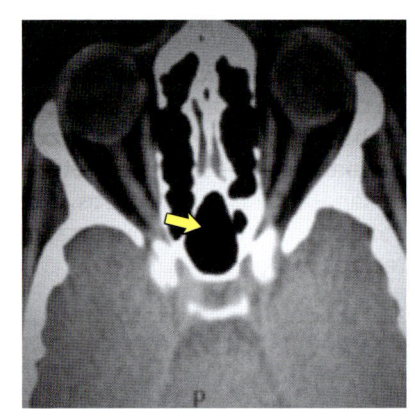

Figura 3.12 – Corte axial do seio esfenoidal.

Imaginologia | 45

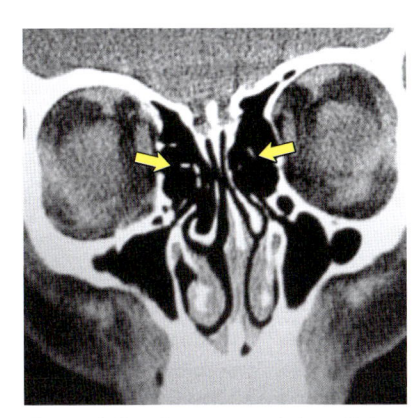

Figura 3.13 – Corte coronal das células etmoidais.

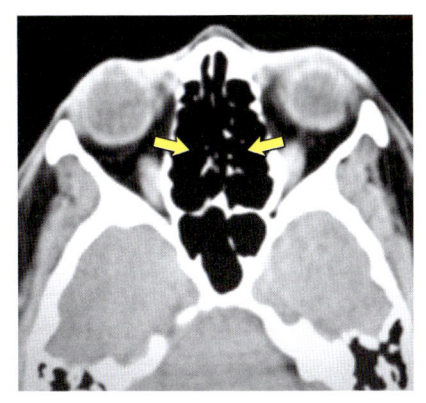

Figura 3.14 – Corte axial das células etmoidais.

VARIAÇÕES

As Figs. 3.15 a 3.32, a seguir, apresentam variações encontradas nas TCs em relação às cavidades nasais.

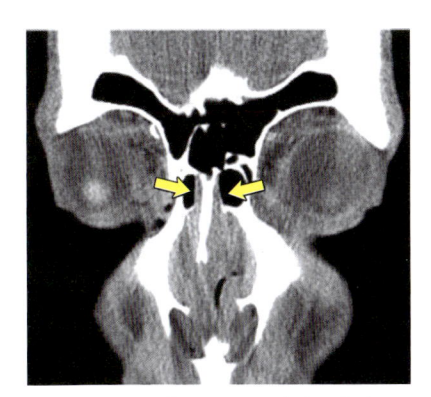

Figura 3.15 – Corte coronal da célula da crista do nariz.

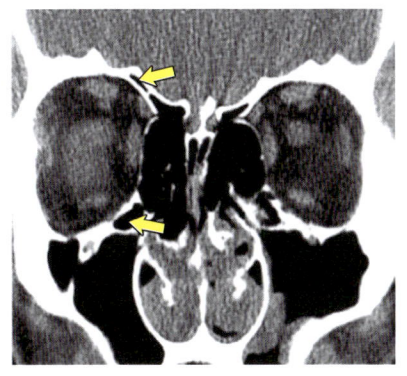

Figura 3.16 – Corte coronal das células supraorbital e infraorbital.

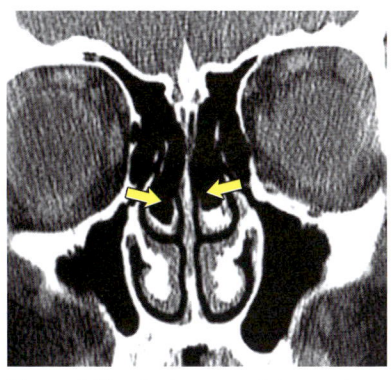

Figura 3.17 – Corte coronal da concha nasal média bolhosa.

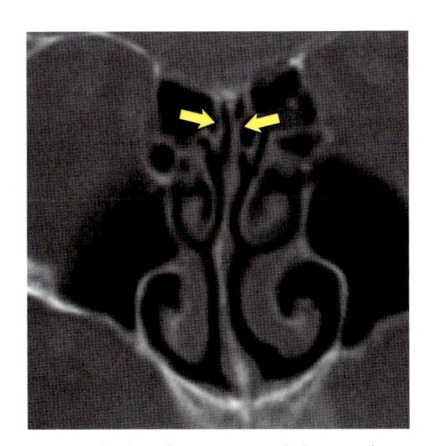

Figura 3.18 – Corte coronal da concha nasal superior bolhosa.

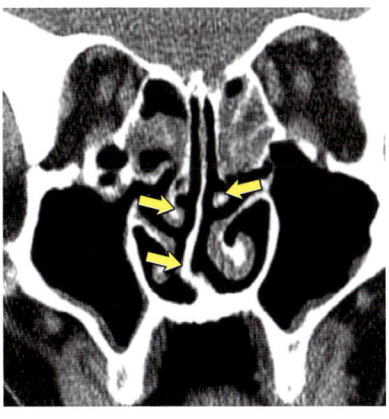

Figura 3.19 – Corte coronal – curvatura paradoxal da concha nasal média e desvio do septo nasal.

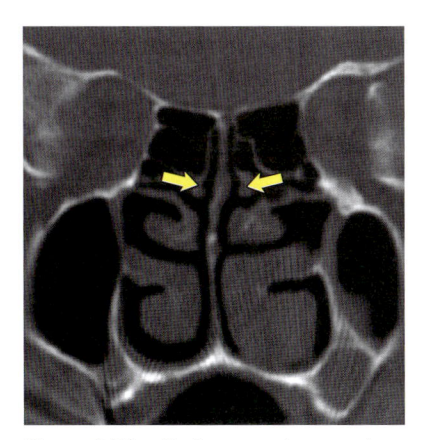

Figura 3.20 – Corte coronal – curvatura paradoxal da concha nasal superior.

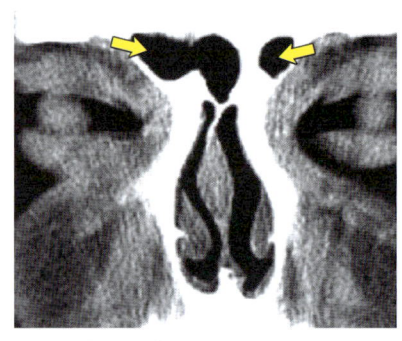

Figura 3.21 – Corte coronal mostrando hipoplasia do seio frontal.

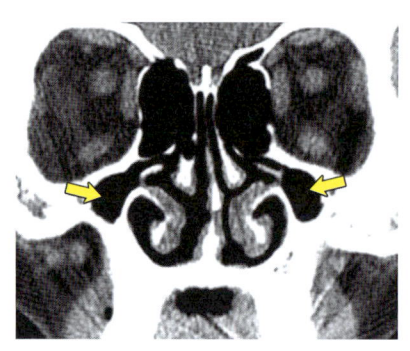

Figura 3.22 – Corte coronal mostrando hipoplasia do seio maxilar.

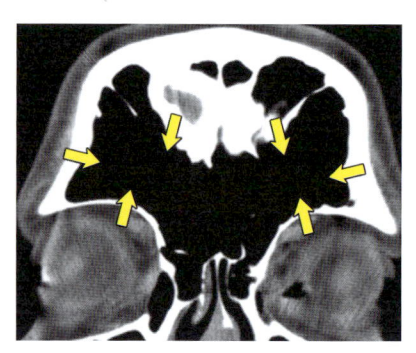

Figura 3.23 – Corte coronal mostrando hiperplasia do seio frontal.

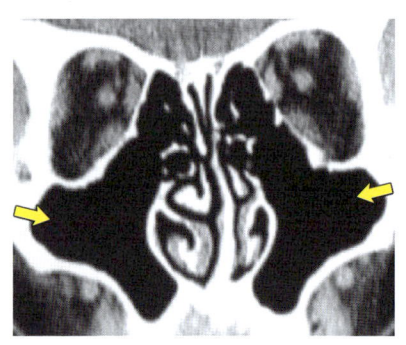

Figura 3.24 – Corte coronal mostrando hiperplasia dos seios maxilares.

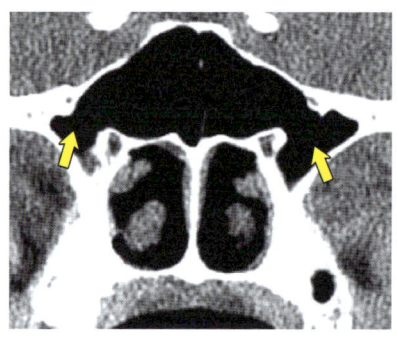

Figura 3.25 – Corte coronal mostrando pneumatização do processo pterigoide do osso esfenoide.

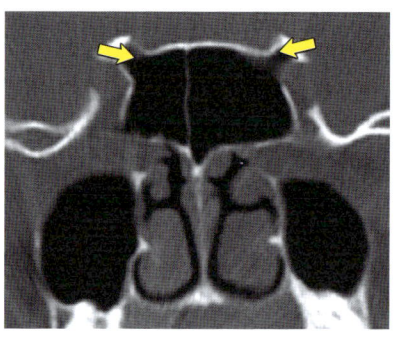

Figura 3.26 – Corte coronal mostrando pneumatização do processo clinoide anterior.

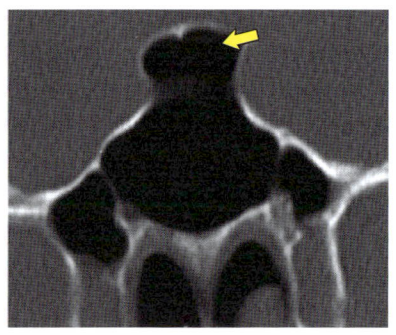

Figura 3.27 – Corte coronal mostrando pneumatização do dorso da sela turca do osso esfenoide.

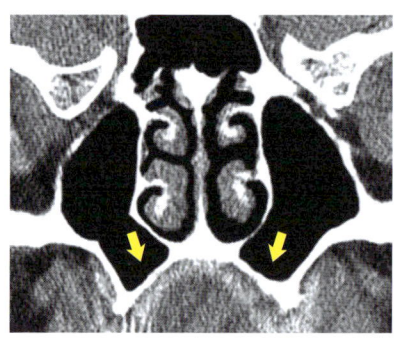

Figura 3.28 – Corte coronal mostrando pneumatização do palato ósseo.

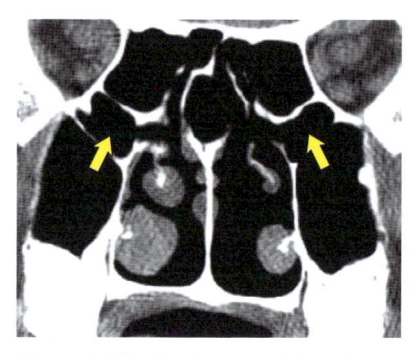

Figura 3.29 – Corte coronal do seio etmomaxilar.

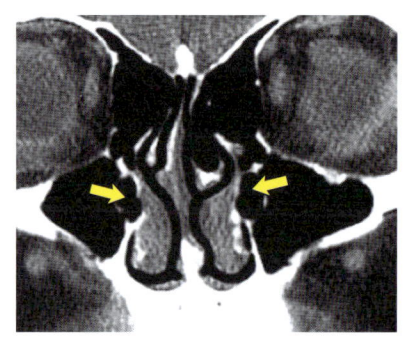

Figura 3.30 – Corte coronal mostrando pneumatização do processo uncinado.

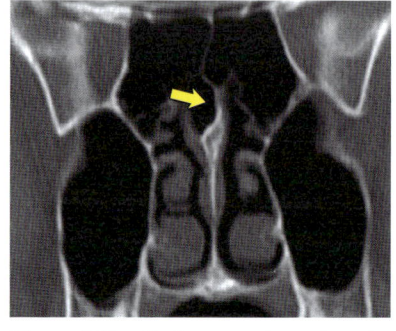

Figura 3.31 – Corte coronal mostrando penumatização do septo nasal.

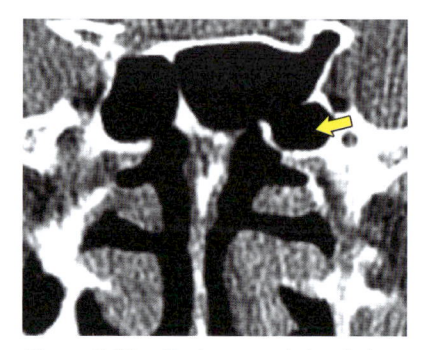

Figura 3.32 – Corte coronal da célula esfenoetmoidal.

4

Tomografia computadorizada volumétrica

EDUARDO DUAILIBI
ISRAEL CHILVARQUER
MARCIA PROVENZANO

Muitos dos desafios de diagnóstico, normalmente presentes na prática clínica, podem ser esclarecidos por meio de exames imaginológicos. O campo do diagnóstico por imagem é uma área que tem passado por constantes avanços tecnológicos e tem sido amplamente utilizado na odontologia. Até recentemente, os cirurgiões-dentistas estavam limitados ao uso de imagens bidimensionais para a avaliação da anatomia tridimensional, o que oferecia limitações inerentes à técnica radiográfica, como sobreposição de estruturas, distorção, ampliação e, consequentemente, insuficiência de informações para uma interpretação radiográfica mais precisa e fiel das estruturas anatômicas.

Um grande marco desse processo evolutivo foi realizado por Godfrey Hounsfield, que, em 1972, anunciou a invenção da TC (vide Capítulo 1), uma técnica capaz de produzir imagens seccionais de uma região anatômica desejada.[1]

Entretanto, nada foi mais significativo para a odontologia do que o surgimento da tomografia computadorizada volumétrica, também denominada tomografia computadorizada de feixe cônico, ou *cone beam* (CBTC), que foi desenvolvida por Yoshinori Arai, na década de 1990.[1]

Neste capítulo, serão abordadas as principais características da CBTC, realizando uma discussão sobre suas vantagens e aplicações.

OBJETIVOS DE APRENDIZAGEM:

- Conhecer os princípios de aquisição de imagem da técnica de tomografia computadorizada volumétrica
- Conhecer os tipos de detectores dos aparelhos de CBTC
- Compreender os fatores que determinam a resolução da imagem
- Conhecer as indicações e as limitações da técnica
- Avaliar os riscos e os benefícios da técnica, considerando a dose de radiação a que o paciente é exposto

PRINCÍPIOS DA AQUISIÇÃO DA IMAGEM

Diferentemente da TC, a CBTC utiliza um **feixe de raios X de formato cônico**, direcionado para a região de interesse do paciente –p. ex., a maxila –, e em seguida sensibiliza uma matriz bidimensional de detectores de imagem (Fig.4.1).

Figura 4.1 – Exame de CBTC, em que uma varredura de 360 graus é realizada ao redor do objeto a ser escaneado, sensibilizando o sensor.

Fonte de raios X

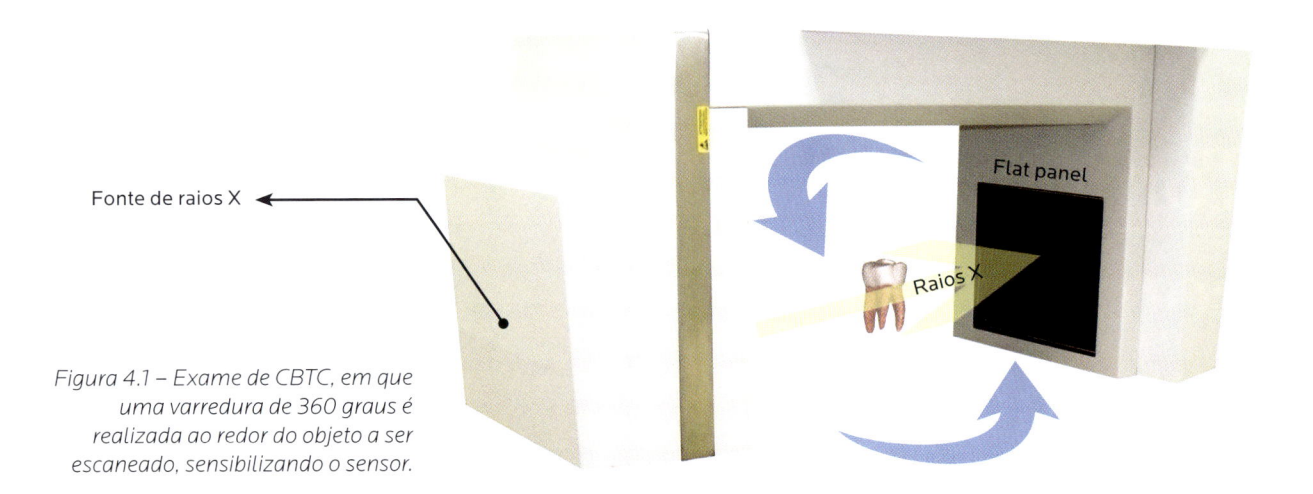

Flat panel

Raios X

SAIBA MAIS

A TC é constituída por um pórtico rotatório, onde se localizam uma fonte de radiação X e um anel de detectores de cintilação. Um feixe de raios X com formato de leque realiza um movimento de rotação espiral ou helicoidal ao redor do paciente, sensibilizando os detectores localizados ao redor do pórtico.

A técnica realiza apenas uma única varredura de 360 graus, de forma que a fonte de raios X e o detector se movam em sincronia ao redor da cabeça do paciente, a qual permanece imóvel no suporte de cabeça. Dependendo do tipo de equipamento, o tempo de varredura varia de 5 a 40 segundos, de acordo com o protocolo escolhido.

A fonte de raios X emite um feixe divergente e de baixa miliamperagem. O tamanho do feixe é limitado por um colimador circular ou retangular correspondente ao tamanho do sensor, mas em alguns casos pode ficar restrito (colimado) para coincidir com a região anatômica de interesse.

Durante a rotação, uma fonte de radiação pulsátil ou contínua gera múltiplas imagens sequenciais bidimensionais da região de interesse, denominadas imagens base ou *raw data*, que variam de cerca de 150 a 599 projeções. Essas imagens são similares a radiografias cefalométricas laterais, cada uma obtida por uma angulação ligeiramente diferente da outra. Essa série de imagens forma um conjunto de dados.

Programas de computação que utilizam algoritmos sofisticados são aplicados para gerar um conjunto de dados tridimensional volumétrico, que é utilizado para fornecer reconstruções primárias nos três planos ortogonais (axial, sagital e coronal), bem como imagens 3D. A região irradiada apresenta formato cilíndrico ou esférico, dependendo do detector da imagem.

As imagens tomográficas são denominadas de acordo com sua aquisição em relação aos planos anatômicos:

- **cortes axiais** – obtidos paralelamente aos planos cranial e caudal, dividindo o corpo em superior e inferior;
- **cortes sagitais** – obtidos paralelamente ao plano sagital, dividindo o corpo em lado direito e esquerdo;
- **cortes coronais** – obtidos paralelamente aos planos ventral e dorsal, dividindo o corpo em anterior e posterior.

A maioria dos equipamentos de CBTC oferece a opção de seleção do FOV do exame. A seleção de um FOV menor reduz a área de varredura do exame, o que diminui a dose de radiação recebida pelo paciente. Atualmente, aparelhos de CBTC são capazes de captar diferentes extensões da região maxilofacial, como maxila, mandíbula, complexo maxilofacial ou toda a face (Fig. 4.2).

Alguns equipamentos foram desenvolvidos para realizar a captura de pequenas regiões com alta resolução de imagem, como, por exemplo, o Morita Accuitomo 3DX® e o Prexion 3D®.

As vantagens da CBTC em relação à TC incluem menor dose de radiação recebida pelo paciente e maior detalhe de avaliação do tecido duro. Além disso, os equipamentos de CBTC são mais baratos e apresentam dimensões menores, podendo ser instalados em consultórios odontológicos. Embora ambas as técnicas produzam artefatos de imagem, causados por componentes metálicos, seus efeitos causam menor interferência nas imagens de CBTC.

As imagens da CBTC apresentam boa aplicação para avaliação da região craniofacial, em especial para avaliar tecido ósseo e tecidos duros do órgão dental. Como esses equipamentos foram projetados para essa região – ao contrário da TC –, os *softwares* foram desenvolvidos para simplificar a obtenção de imagens, utilizando parâmetros preestabelecidos. Além disso, a maioria dos aparelhos foi desenvolvida para trabalhar com *softwares* específicos de planejamento de implantes, como SimPlant (Materialise, Leuven, Bélgica) e da Nobel Biocare (Suécia).

LEMBRETE

A CBTC oferece imagens nos mesmos planos anatômicos que a TC, estando limitada apenas a visualização de tecidos duros. O contorno dos tecidos moles da face pode ser visualizado; no entanto, qualquer alteração presente em seu interior pode ficar despercebida.

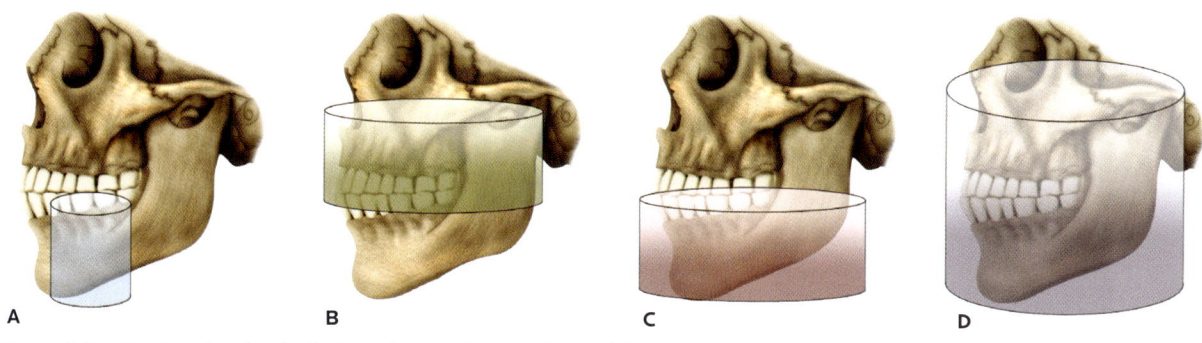

Figura 4.2 – Opções de seleção da área de varredura da CBTC: (A) captura de pequenas regiões anatômicas; (B) captura da maxila; (C) captura da mandíbula; (D) captura da face estendida.

TIPOS DE DETECTORES

Os detectores de imagem disponíveis em equipamentos de CBTC (Fig. 4.3) podem ser do tipo tela plana (*flat panel*) ou do tipo intensificadores de imagem conectados a um dispositivo de carga acoplada (CCD, sigla para o inglês *charge couple device*). O CCD é um *chip* de silicone duro que possui semicondutores sensíveis à luz e aos raios X.

Os sistemas que utilizam intensificadores de imagem, como o Newtom 3G® e o Galileos Sirona® (Fig. 4.3A), são maiores e mais volumosos. Os intensificadores de imagem possuem um detector de imagem circular, em vez do detector retangular visto na tecnologia de tela plana, o que pode gerar um efeito de "truncamento", no qual os dados da imagem não são suficientemente capturados e, portanto, não podem ser utilizados para criar uma imagem.

A tecnologia de feixe cônico que utiliza um intensificador de imagem pode fazer com que a periferia da imagem fique distorcida. Além disso, os intensificadores de imagem são susceptíveis a campos magnéticos, que também distorcem a imagem adquirida. Entretanto, essa tecnologia vem sendo utilizada há anos na imaginologia médica, requerendo menor dose de exposição e menor custo quando comparada à nova geração de *flat panel*.

Atualmente, devido à sua alta resolução de imagem, os **detectores do tipo tela plana** são os mais utilizados, e são encontrados nos modelos i-Cat® (Fig. 4.3B). Esses sensores absorvem os raios X e sensibilizam uma camada de cintiladores, que os convertem em fótons. Estes são então convertidos em elétrons pela camada de fotodiodos e são capturados e armazenados por uma camada de silicone amórfica. Transistores TFT fazem a leitura final dos sinais e os transmitem para o computador.

Dependendo do tipo de equipamento e do tipo de detector empregado, a forma do volume capturado pode ser esférica ou cilíndrica. Normalmente, volumes cilíndricos são capturados por *flat panels*, ao passo que volumes esféricos são capturados por intensificadores de imagem.

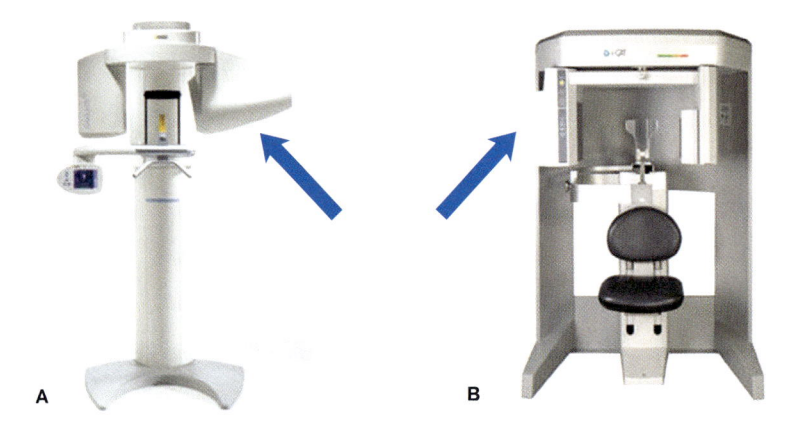

Figura 4.3 – Equipamentos que utilizam diferentes tipos de detectores. (A) Aparelho Galileos Sirona®, que utiliza detector do tipo intensificador de imagem (seta). (B) Aparelho i-Cat®, que utiliza detector do tipo flat panel *(seta).*

RESOLUÇÃO DE IMAGEM

Picture element ou *pixel*

Menor unidade formadora da imagem digital, relacionada à qualidade da imagem. Quanto mais *pixels* por polegada uma imagem tiver, melhor será sua qualidade ou resolução espacial.

Voxel

Representação volumétrica ou tridimensional do *pixel*. Seu tamanho também determina a resolução da imagem.

Após a varredura, as imagens resultantes, ou dados brutos (*raw data*), são agrupadas, gerando a produção de um volume digital. Esse volume digital é composto de elementos chamados *voxels*, que se apresentam alinhados em fileiras ou colunas.

Na TC, os *voxels* são anisotrópicos, ou seja, cubos retangulares. A maior dimensão do *voxel* é a espessura do corte, determinada pelo incremento do corte, em função do movimento do pórtico. Apesar de a superfície do *voxel* poder ser tão pequena quanto 0,625mm^2, sua profundidade é geralmente da ordem de 1-2mm. Todos os equipamentos de CBTC fornecem *voxels* que são isotrópicos, isto é, iguais em todas as três dimensões. Isso produz imagens com resolução submilimétrica (muitas vezes superior à TC), variando de 0,4 a 0,125mm.

A cada *voxel* é atribuído um valor de escala de cinza correspondente ao grau de atenuação do tecido. A última geração de unidades de CBTC produz imagens com 12 ou 14 *bits*; 12 *bits* têm 4.096 tons de cinza, ao passo que 14 *bits* têm 16.384 tons de cinza. Os monitores dos computadores utilizados para visualizar esses volumes podem exibir apenas 8 *bits* (256 tons de cinza).

O *software* usa uma técnica denominada janelamento e nivelamento, que permite ao operador acessar e visualizar todas as imagens. O janelamento permite que os dados sejam agrupados, visualizando-se assim 8 *bits* de cada vez, como o ar e os tecidos moles em um extremo da escala (tecidos de baixa atenuação) e os ossos e dentes (tecidos de alta atenuação) em outra extremidade da escala.

Uma vez que o janelamento tenha sido alcançado, o contraste e o brilho (nivelamento) são ajustados pelo operador para melhor visualização. O tamanho pequeno do *voxel* isotrópico e o grande número de tons de cinza contribuem para a precisão e a acurácia da imagem, principalmente quando o operador realiza mensurações ou analisa a morfologia.

SAIBA MAIS

Janelas são recursos computacionais que permitem o estreitamento da escala de tons de cinza da imagem, facilitando a diferenciação entre certas estruturas conforme a necessidade. O uso de diferentes janelas em tomografia permite, por exemplo, o estudo dos ossos com distinção entre a cortical e a medular óssea ou o estudo de partes moles com a distinção entre a substância branca e a cinzenta no cérebro. A mesma imagem pode ser mostrada com diferentes ajustes da janela, de modo a mostrar diferentes estruturas de cada vez.

As imagens obtidas pela CBTC são convertidas para um volume de *voxels* e armazenadas digitalmente em computadores.

Os dados reconstruídos podem ser vistos por um *software* especializado. Informações de cada *voxel* (como, por exemplo, dimensão, localização tridimensional e valor) são armazenadas no computador. O volume do *voxel* pode ser recuperado e exibido, usando-se uma variedade de opções de visualização. Essas opções incluem visualização ortogonal (axial, coronal ou sagital) ou multiplanar. Os *voxels* podem ser visualizados a cada linha ou coluna (corte) ou agrupados formando um volume.

No que tange à resolução de imagem em CBTC, outros fatores devem ser levados em consideração. Essa recente tecnologia apresenta limitações com relação à projeção do feixe cônico, à sensibilidade de detecção e à resolução de contraste. A nitidez das imagens de CBTC pode ser afetada por ruídos de imagem, artefatos metálicos como restaurações de amálgama e pobre contraste de tecidos moles.

Na TC, a presença de restaurações metálicas provoca a formação de artefatos na imagem, o que degrada a sua qualidade. A CBTC também produz esses artefatos (*beam hardening*), mas em uma

LEMBRETE

Artefatos são quaisquer distúrbios na nitidez das imagens. Na tomografia, podem ser provocados por diversos fatores:
- movimento do paciente;
- deglutição;
- respiração profunda;
- presença de estruturas metálicas.

PARA PENSAR

Ainda permanece a discussão para determinar se os dados produzidos pela CBTC podem demonstrar com precisão a densidade em Unidade de Hounsfield (UH). Uma vez que os equipamentos de CBTC são padronizados e calibrados por escalas de cinza diferentes da UH, seria impreciso realizar uma medida direta em UH na atual geração de CBTC.

SAIBA MAIS

Unidade de Hounsfield é a unidade de medida de densidade de um tecido em TC. Nessa escala temos o seguinte:
• água – apresenta 0 UH;
• ar – apresenta -1.000 UH;
• osso – apresenta de 300 a 350 UH;
• gordura – apresenta de -120 a -80 UH;
• músculo – apresenta de 50 a 55 UH.

escala muito menor; consequentemente, proporciona imagens com qualidade superior.

Até o presente momento, a tecnologia de feixe cônico fornece pouco detalhe de tecido mole e, apesar de algoritmos mais recentes terem sido desenvolvidos para melhorar esse aspecto, nada se compara com a TC. Assim, a CBTC não é indicada para a avaliação de malignidades da região da cabeça e do pescoço, na qual a identificação da extensão dos tecidos moles da lesão é fundamental. O estadiamento de tumores continua a ser realizado pela TC e/ou pela RM complementada com imagens de tomografia por emissão de pósitrons/tomografia computadorizada (PET/TC).

DOSE DE RADIAÇÃO

Estudos sobre dose de radiação permitem que o clínico avalie o risco e os benefícios da solicitação de um determinado método imaginológico. Diferentes fatores influenciam na dose efetiva de radiação recebida pelo paciente, como:

LEMBRETE

A redução do tamanho da área irradiada, pela colimação do feixe primário de raios X para a área de interesse, minimiza a dose de radiação. A maioria dos equipamentos pode ser ajustada para realizar a varredura de pequenas regiões específicas ou englobar todo o complexo craniofacial, dependendo da necessidade clínica.

- FOV;
- miliamperagem;
- quilovoltagem;
- tempo de varredura (incluindo se o feixe é contínuo ou pulsátil);
- sensibilidade do sensor;
- quantidade de imagens capturadas.

O operador pode controlar o FOV, a miliamperagem e as configurações de tempo de varredura, fatores que afetam diretamente a dose efetiva. Diminuindo-se o FOV e colimando-o diretamente para a área de interesse, reduz-se a dose efetiva. A diminuição do tempo de varredura e a redução da miliamperagem também podem reduzir a

TABELA 4.1 – Comparativo de dose de radiação de acordo com a variação do tamanho da área de varredura e a técnica utilizada

		Dose Efetiva (mSv)
CBTC	FOV reduzido (região dentoalveolar)	0,011-0,674*
	FOV amplo (região crâniofacial)	0,030-1,073*
Outros exames	Intraoral	<0,0015**
	Panorâmica	0,0027-0,0243*
	Cefalométrica	<0,006
	TC *Multislice*	0,280-1,410*

Fonte: Sedentex CT.[2]
*Dose correspondente a uma única radiografia periapical pertencente ao conjunto de 18 radiografias periapicais com 4 radiografias interproximais obtidas pela técnica do paralelismo com a utilização de sensores fotossensíveis de placa de fósforo.
**Variação da dose efetiva de radiação emitida pelas técnicas apresentadas

dose efetiva, mas isso pode diminuir a intensidade de sinal e, portanto, prejudicar a qualidade da imagem.

Na CBTC, o feixe pulsátil tem a vantagem de reduzir a dose de exposição do paciente, pois o tempo de exposição real do paciente é menor do que o tempo de varredura. A ausência de dados criada por esse feixe pulsátil é revertida por meio da interpolação de dados, o que gera ruído de imagem e artefatos de reconstrução.

Os dados publicados para a CBTC relatam uma dose efetiva entre 0,035 e 0,10mSv, o que representa uma redução de até 98% em comparação com a TC e equivale a cerca de uma série de radiografias periapicais da boca toda, ou de 3 a 10 radiografias panorâmicas.

CONSIDERAÇÕES FINAIS

A seleção da técnica ideal começa pela determinação das metas do exame. O operador precisa determinar com exatidão as informações que precisam ser obtidas por meio de imagem, o que lhe permitirá determinar quais modalidades de imagem poderão cumprir esses objetivos. A melhor modalidade de imagem será a que cumprir esses objetivos, tiver um custo aceitável e utilizar a menor dose de radiação.

Na CBTC, a interpretação dos dados volumétricos significa mais do que a simples geração de imagens 3D, especialmente quando a varredura envolve regiões extensas. A interpretação exige uma compreensão das relações espaciais das estruturas anatômicas e um conhecimento abrangente das alterações patológicas das várias estruturas envolvidas. Evidentemente, essa informação pode ir além do complexo dentoalveolar.

Atualmente, há uma preocupação crescente entre os radiologistas, com base nas questões de qualidade e segurança do paciente, de que a interpretação de exames realizados com FOVs amplos não deva ser realizada por dentistas clínicos sem experiência ou formação adequada. A possibilidade de permanecerem lesões ocultas aumenta o risco de processos legais. Seria de melhor interesse para o paciente se um especialista com amplo conhecimento dessa tecnologia avaliasse o volume total obtido pela varredura.

A reconstrução multiplanar do conjunto de imagens obtidas pela CBTC permite que se obtenha uma reconstrução panorâmica que não apresenta as limitações inerentes às radiografias panorâmicas convencionais, como sobreposição de estruturas, distorção e ampliação. Contudo, essas reconstruções não devem ser solicitadas para substituir a técnica convencional. Sua utilização deve ser justificada, considerando-se a quantidade de dose de radiação recebida pelo paciente.

Se uma determinada questão clínica não puder ser solucionada pelo uso de imagens 2D, então um exame de CBTC pode ser solicitado, em consonância com as diretrizes da ICRP, seguindo os conceitos do princípio de ALARA, da justificativa e da otimização.

É importante atentar, também, das limitações intrínsecas da CBTC, próprias da técnica; em algumas circunstâncias, outras técnicas

ATENÇÃO

A criação de um protocolo de aquisição de imagem específico para cada objetivo clínico é o primeiro passo a ser dado no processo de diagnóstico por imagem.

LEMBRETE

Na literatura atualmente disponível, ainda não existem critérios de recomendação específicos para a aplicação da CBTC.

> ### SAIBA MAIS
>
> Os fundamentos da proteção radiológica obedecem aos princípios da **justificativa**, segundo os quais só se admite o uso de radiação caso ela produza algum benefício, e da **otimização** – ou princípio de ALARA. Este princípio estabelece que toda exposição deve ser realizada com dose tão baixa quanto seu limite razoavelmente exequível (em inglês, *as low as reasonably achievable* – ALARA). A aplicação desse princípio requer a otimização da proteção radiológica em todas as situações que possam ser controladas por medidas de proteção, particularmente na seleção e no planejamento de equipamentos, operações e sistemas de proteção.

radiográficas são mais adequadas. Por exemplo, cáries e dentes adjacentes ao amálgama, bem como restaurações protéticas com maior densidade, não são bem visualizadas na técnica de feixe cônico devido à formação de artefatos metálicos. Alguns aparelhos possuem a capacidade de diminuir esses artefatos. Até mesmo guta-percha pode formar um artefato tão denso quanto o amálgama na TC convencional, o que deve ser levado em conta ao se avaliar um sítio potencial para colocação de implantes adjacentes a dentes com tratamento endodôntico.

Se o questionamento clínico for em relação à configuração da lâmina dura ou ao detalhamento do osso, a radiografia periapical é a mais indicada, devido à dose menor de radiação e, principalmente, pela melhor visualização dessas estruturas na imagem periapical em relação ao feixe cônico. O Quadro 4.3 apresenta as principais diferenças entre os sistemas de TC e CBTC, as quais devem ser levadas em consideração no momento da indicação de uma das técnicas.

A imagem de CBTC é um dos mais excitantes desenvolvimentos da radiologia odontológica e, devido à sua versatilidade, certamente tem se tornado uma forma popular de diagnóstico por imagem disponível na prática odontológica. Como resultado, os fabricantes sem dúvida vão desenvolver equipamentos com custo reduzido. Alguns fabricantes já estão produzindo equipamentos híbridos, que combinam a radiografia panorâmica com uma unidade de feixe cônico incorporada.

QUADRO 4.3 – Principais diferenças entre os sistemas de TC e CBTC

TC	CBTC
Uso geral	Uso específico para odontologia
Alta dose de radiação	Baixa dose de radiação
Visibilidade de tecidos moles	Técnica específica para tecidos duros dentoalveolares
Pixels anisotrópicos	*Pixels* isotrópicos
Posicionamento deitado	Posicionamento sentado
Qualquer área do corpo	Diferentes FOVs

APLICAÇÕES

O campo de aplicação da CBTC é vasto. Diversas especialidades odontológicas utilizam a terceira dimensão e, por meio de pesquisas, descobrem como este novo instrumento de diagnóstico pode contribuir para sua clínica habitual. Desde cirurgias guiadas até perícias odontológicas, a CBTC modificou a prática do cirurgião-dentista.

Apesar das limitações inerentes à técnica, o desenvolvimento de *softwares* modernos e algoritmos complexos tornará possível analisar as estruturas do complexo maxilofacial e estruturas do tecido dentário em volume, revolucionando procedimentos e terapias atuais.

Dentre as indicações da CBTC, a **implantodontia** se caracteriza como a especialidade que mais comumente utiliza a técnica para complementar o diagnóstico (Fig. 4.4). Sua utilização engloba o planejamento virtual de implantes dentários, por meio de diversos *softwares* desenvolvidos para esse fim. Como exemplo de *softwares* específicos para odontologia, citamos o DentalCT (Elscint), o Dental Scan (General Eletrics), o SIM/Plan (Materialise, Bélgica) e o Dental Slice (Bioparts).[5]

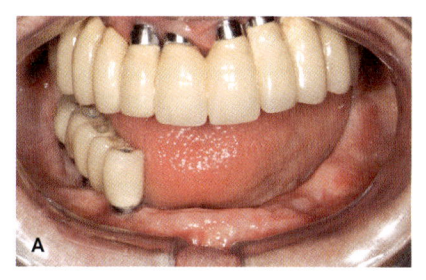

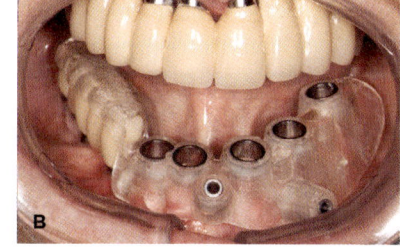

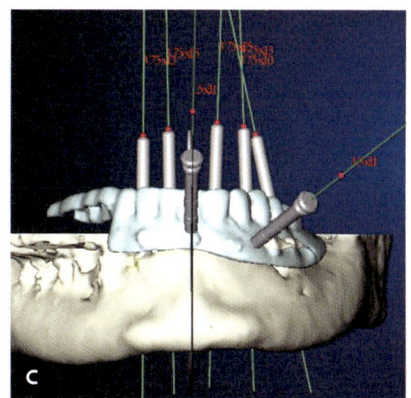

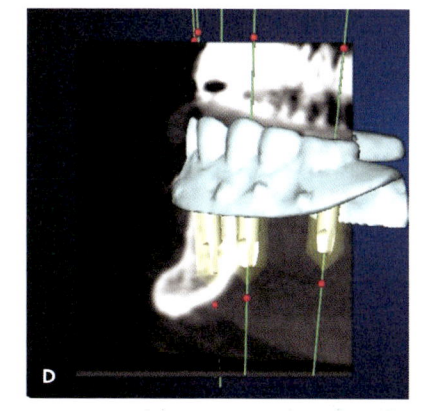

Figura 4.4 – Utilização do software Nobel Guide no planejamento de implantes osseointegrados: (A) foto clínica intraoral inicial pré-operatória; (B) foto clínica intraoral com guia cirúrgico em posição; (C) planejamento virtual de implantes 3D (vista frontal); (D) planejamento virtual de implantes 3D (vista lateral); (E) e (F) cortes transaxiais comparando o implante planejado virtualmente e o resultado final pós-cirúrgico (região anterior); (G) e (H) cortes transaxiais comparando o implante planejado virtualmente e o resultado final pós-cirúrgico (região posterior).

Fonte: Imagens gentilmente cedidas por Dr. Samy Tunchel e Dr. Alberto Blay.

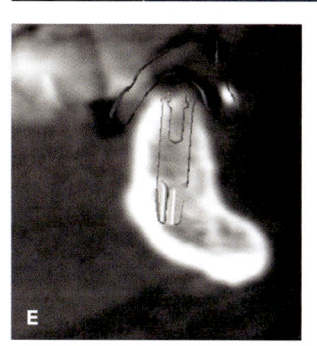

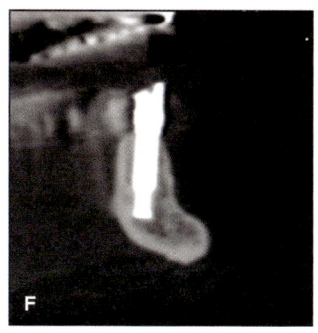

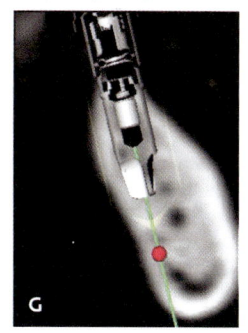

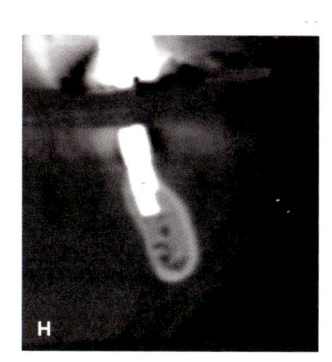

Dessa maneira, é possível avaliar a quantidade e a qualidade óssea de regiões edêntulas, bem como a relação dos implantes planejados com as estruturas anatômicas vizinhas – o assoalho do seio maxilar e o canal da mandíbula, por exemplo. Isso possibilita o fornecimento de informações que auxiliam no correto posicionamento dos implantes. Além disso, fornece dados pré-cirúrgicos nos casos de necessidade de levantamento de seio maxilar ou de enxertos em bloco. Por fim, a CBTC é fundamental em casos de simulação cirúrgica por meio da cirurgia virtual guiada (Fig. 4.5).

A aplicabilidade da CBTC se faz presente na **cirurgia oral**, uma vez que as vantagens da técnica promovem uma melhor avaliação pré-operatória e uma consequente diminuição do tempo cirúrgico e das taxas de insucesso. Assim, podem-se observar, sem sobreposição de imagens e com uma relativa baixa dose de radiação: a relação de terceiros molares inferiores com o canal da mandíbula, a proximidade dos elementos dentários superiores com o seio maxilar, o posicionamento vestibulolingual de dentes não irrompidos (e/ou impactados) e de raízes residuais (Fig. 4.6).

A CBTC possibilita ainda o **diagnóstico diferencial** de abscessos faciais, dores orofaciais e trismo com outras lesões, uma vez que torna possível a detecção da existência ou não de lesão, sua origem

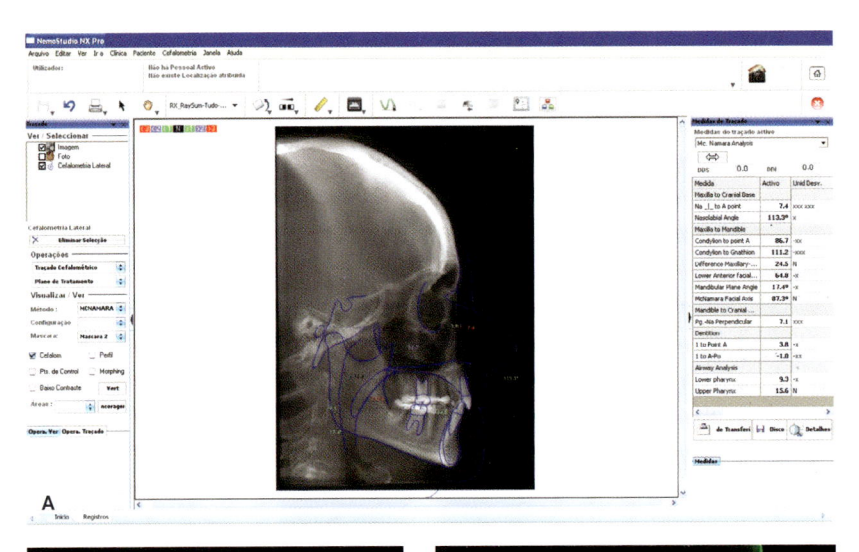

Figura 4.5 – Nemotec – software avançado de navegação virtual, planejamento cirúrgico e ortodôntico e reconstrução 3D. (A) Nemoceph – planejamento ortodôntico em 3D. (B) Nemoscan – reconstrução 3D de controle pós-operatório de cirurgia ortognática. (C) Nemoscan – estudo 3D de vias aéreas.

Fonte: Imagens gentilmente cedidas por Dr. Renato Vita e Dra. Solange Mongelli de Fantini.

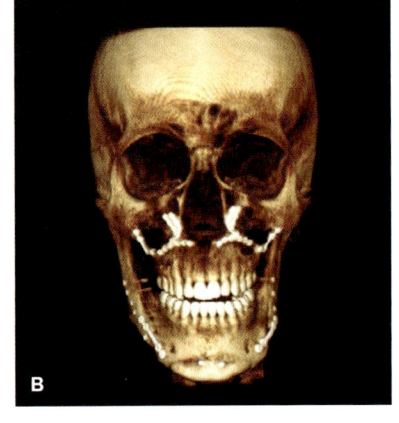

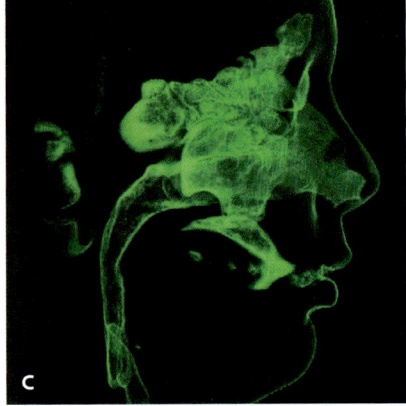

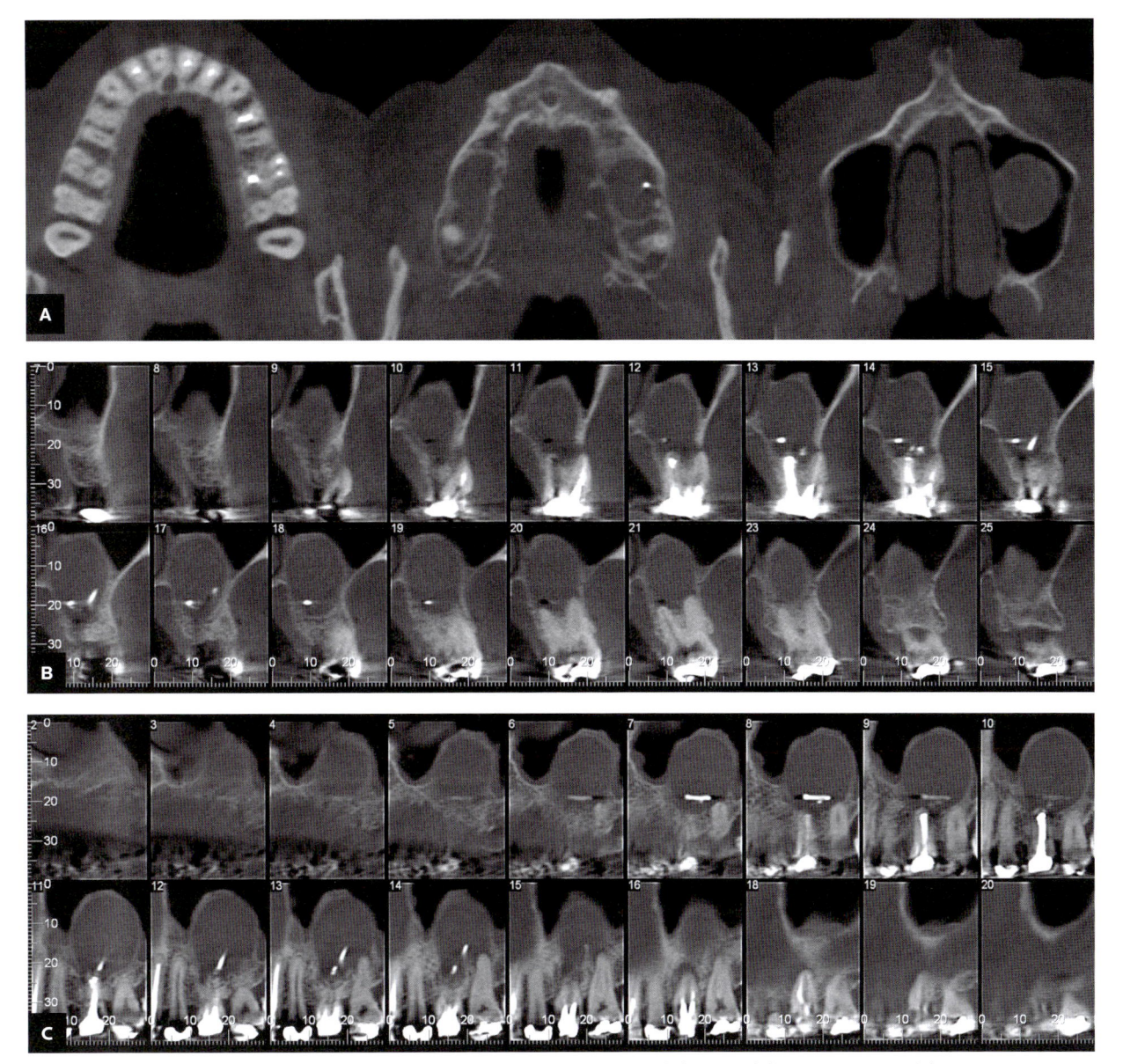

Figura 4.6 – Aplicação da CBTC na avaliação de lesões periapicais: cortes (A) axiais, (B) parassagitais e (C) transaxiais.

Fonte: Imagens gentilmente cedidas por Dr. Noburu Imura.

e sua localização precisa na região maxilofacial. Quando comparada às técnicas radiográficas convencionais, a CBTC é capaz de mostrar um maior número de traços de fratura (solução de continuidade do tecido ósseo).

Uma das especialidades bastante beneficiadas com o advento da CBTC é a **ortodontia**, já que abrange o planejamento de cirurgia ortognática e de casos com presença de anodontia e fendas palatinas. Ademais, em casos de apneia obstrutiva do sono, pode-se avaliar o espaço das vias aéreas. Porém, indiscutivelmente, o maior avanço conseguido com o aparecimento desta técnica foi a análise cefalométrica 3D, com a utilização de programas especialmente desenvolvidos para este fim (Figs. 4.7 e 4.8).

Na **endodontia**, a CBTC possibilitou a visualização de estruturas que apareciam sobrepostas em técnicas radiográficas convencionais, o que dificultava o tratamento (Fig. 4.9). Atualmente, é possível observar:

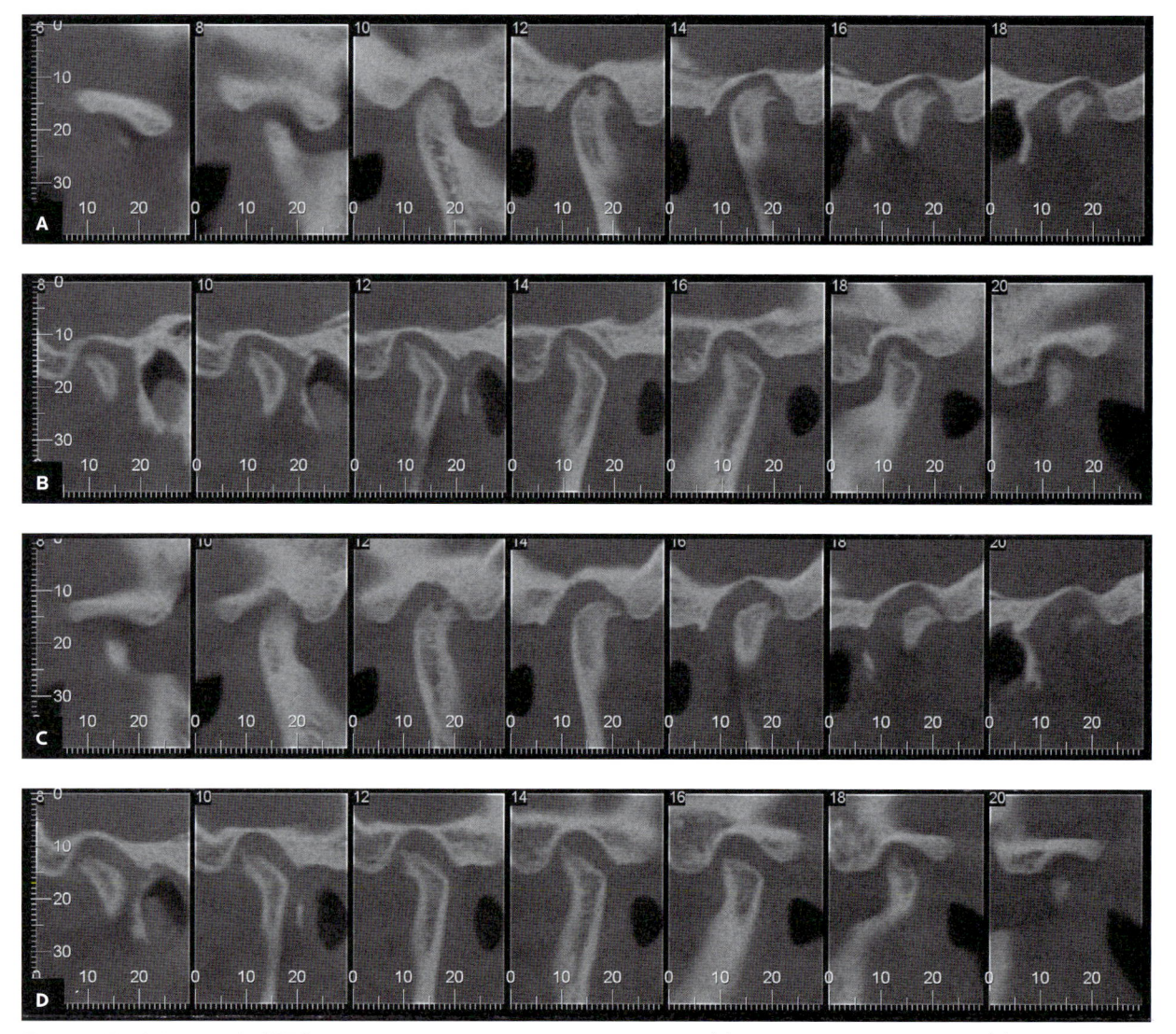

Figura 4.7 – Aplicação da CBTC na avaliação da ATM: cortes transaxiais em (A) ATM direita, boca fechada; (B) ATM esquerda, boca fechada; (C) ATM direita, boca aberta; (D) ATM esquerda, boca aberta.

Fonte: Imagens gentilmente cedidas por Dr. Luiz Octavio Benatti.

Imaginologia | 59

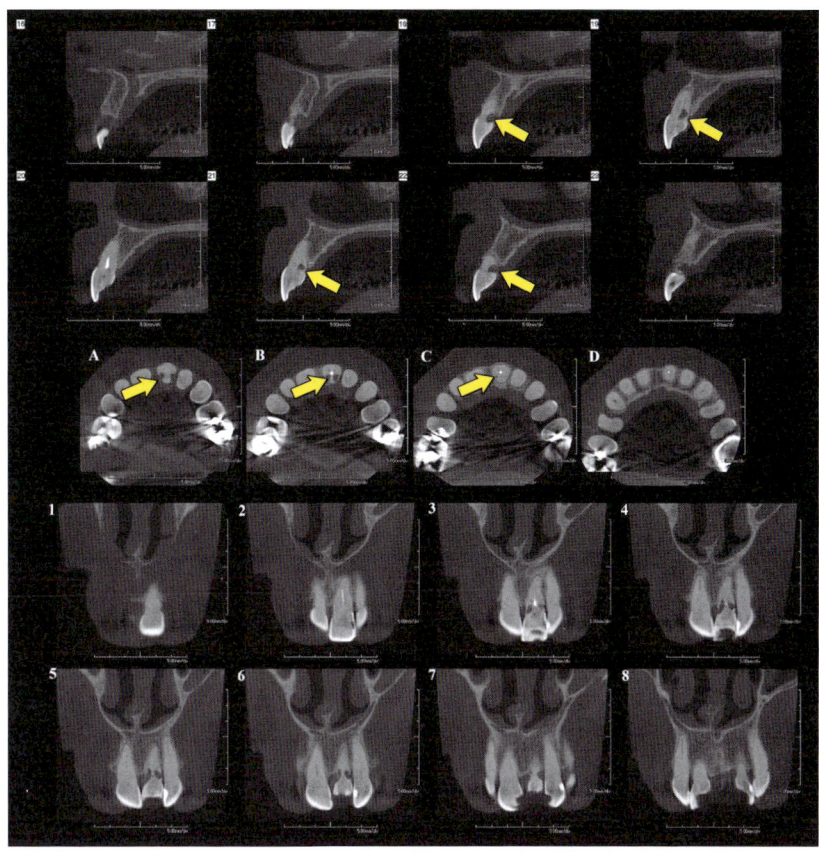

Figura 4.8 – Reabsorção radicular interna, em cortes 16-23 transaxiais, A-D axiais e 1-8 transaixais. As setas indicam rarefação na coroa do elemento 21.

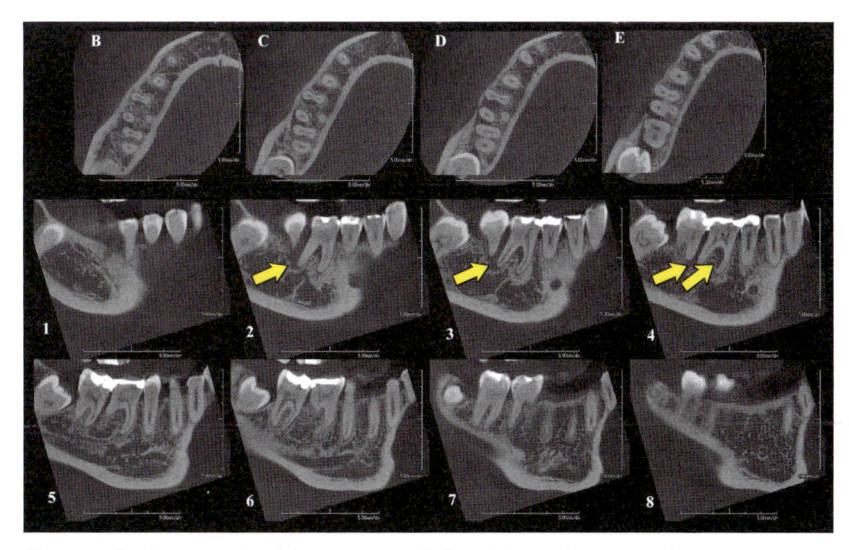

Figura 4.9 – Lesão endopério, em cortes B-D axiais e 1-8 parassagitais. As setas indicam a rarefação óssea periapical, do tipo difusa, localizada na raiz distal e na região de furca do elemento 46. Também se observam diversos nódulos pulpares. Imagem capturada com tomógrafo de pequeno volume.

Fonte: Imagens gentilmente cedidas por Dra. Mônica Talarico Duailibi.

- as raízes dos dentes molares superiores;
- a presença ou ausência de raízes ou de canais supranumerários, tratados endodonticamente ou não;
- a evolução de lesões císticas, abscessos e granulomas (Fig. 4.10);
- a presença de limas fraturadas no interior do conduto radicular;
- a necessidade de cirurgias endodônticas (p. ex., apicetomias);
- o envolvimento ou não do seio maxilar após infecções presentes na região periapical.

Apesar de a interpretação do disco articular, na ATM, ser realizada apenas por meio da RM, as **estruturas ósseas da ATM** podem ser identificadas com boa resolução na CBTC. Dessa maneira, podem-se observar osteoartrite, anquiloses, osteófitos (Fig. 4.11) e fraturas da cabeça da mandíbula, incluindo não somente a localização dos sinais imaginológicos de fratura (solução de continuidade do tecido ósseo), mas também o posicionamento de fragmentos deslocados, quando presentes.

Uma análise bastante fidedigna pode ser realizada em casos de doença periodontal com o uso da CBTC, que constitui uma importante ferramenta de diagnóstico na especialidade de **periodontia**, uma vez que as técnicas radiográficas convencionais apresentam distorções da imagem, falhando em produzir uma quantificação real da perda óssea (Fig. 4.12). Da mesma forma, pode-se avaliar também o processo de reparação óssea após o tratamento periodontal, uma vez que a técnica é sensível a imagens de tecido mineralizado.

Por fim, na **patologia oral**, a CBTC auxilia na interpretação de corpos estranhos, lesões císticas e tumores, possibilitando uma adequada descrição imaginológica, bem como a elaboração do diagnóstico diferencial.

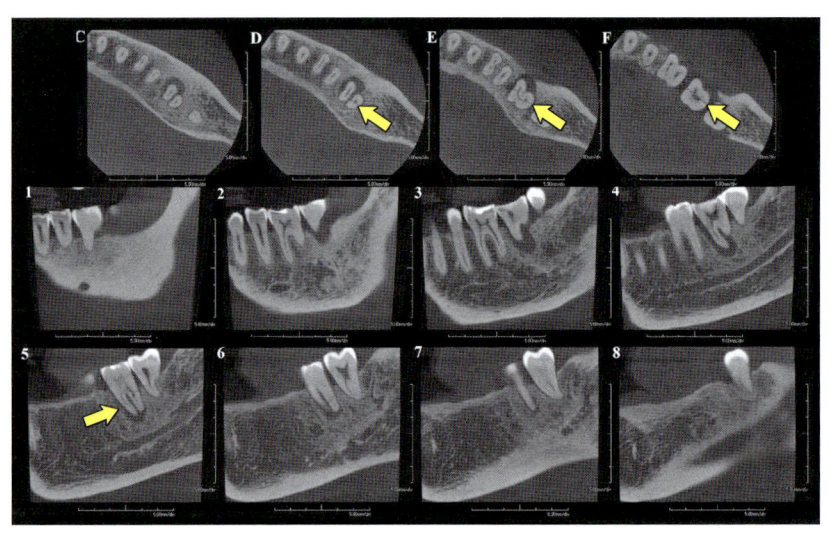

Figura 4.10 – Fratura dentária em cortes C-F axiais e 1-8 parassagitais. As setas indicam linha radiolúcida longitudinal no sentido mesiodistal compatível com fratura radicular do elemento 47, juntamente com uma extensa rarefação óssea do tipo difusa. Imagens capturadas com tomógrafos de pequeno volume.

Fonte: Imagens gentilmente cedidas por Dra. Elaine Passos.

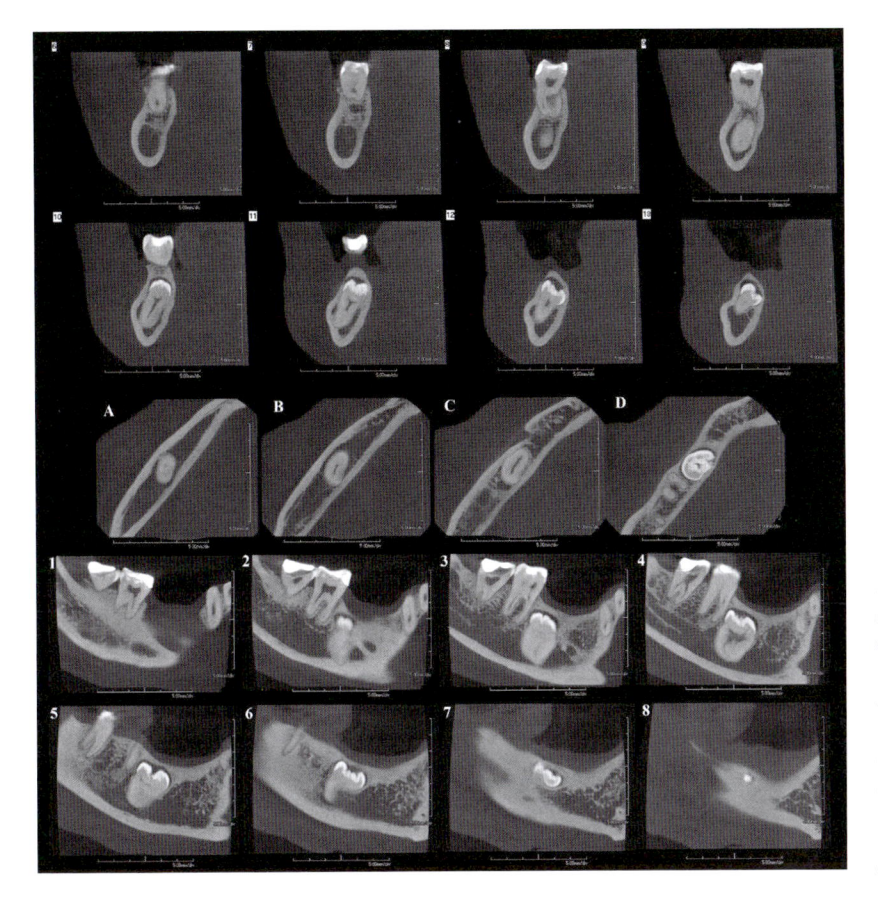

Figura 4.11 – Elemento 35 não irrompido (incluso), observado em cortes 6-13 transaxiais, A-D axiais e 1-8 parassagitais. Observa-se elemento dentário não irrompido (incluso) na mandíbula, com diminuição do lúmen do canal da mandíbula.

Fonte: Imagens gentilmente cedidas por Dr. Eduardo Duailibi.

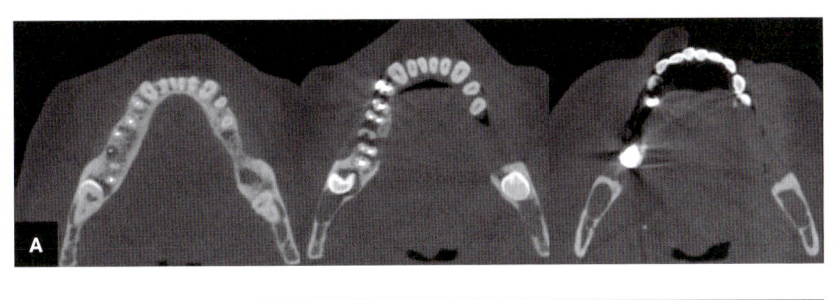

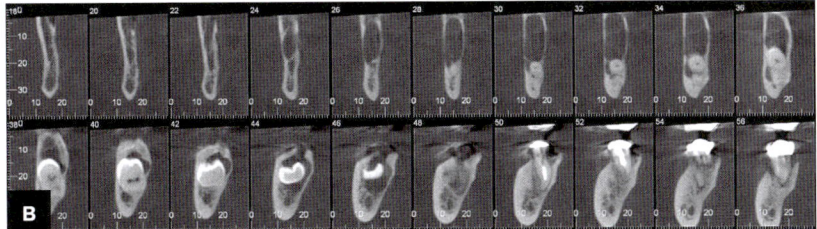

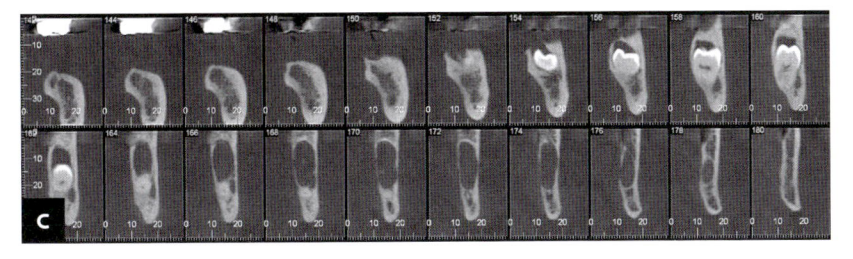

Figura 4.12 – Aplicação da CBTC na avaliação do cisto dentígero bilateral, observada em cortes (A) axiais, (B) transaxiais do lado direito e (C) transaxiais do lado esquerdo.

Fonte: Imagens gentilmente cedidas por Dra. Maristela M. Lobo.

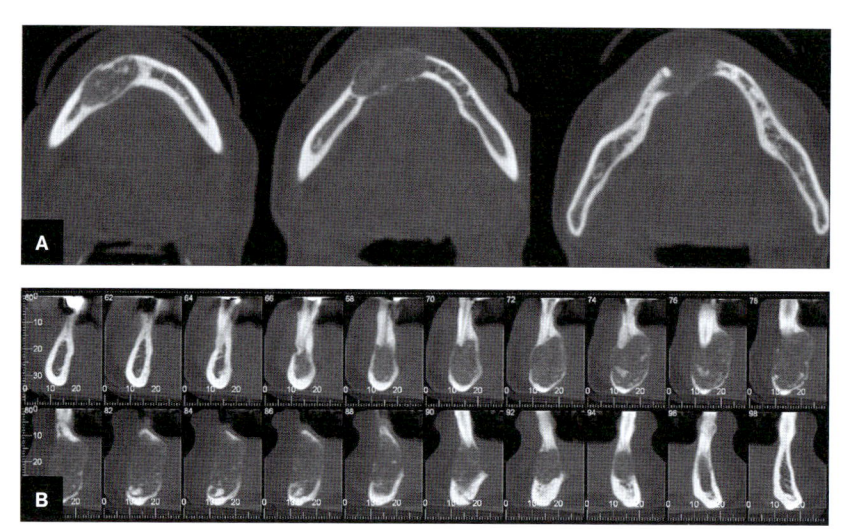

Figura 4.13 – Aplicação da CBTC na avaliação do tumor odontogênico epitelial calcificante (tumor de Pindborg): (A) cortes axiais; (B) cortes transaxiais.

Fonte: Imagens gentilmente cedidas por Dr. Ricardo P. D. Ávila.

Semiologia radiológica

CLAUDIO FRÓES DE FREITAS
THÁSIA LUIZ DIAS FERREIRA

Uma das grandes dificuldades no campo da radiologia e imaginologia odontológica é a interpretação radiográfica, pois esta, além de exigir fatores inerentes à educação continuada do profissional, necessita também de sua experiência, no dia a dia. O profissional precisa saber olhar, constatar e discernir as imagens radiográficas, o que só se torna possível com o passar dos anos.

Quando se está diante de uma imagem radiográfica, independentemente da técnica radiográfica convencional ou do método recente de diagnóstico por imagem utilizado, é extremamente importante **coletar o maior número de informações possíveis**, procurando-se uma interpretação segura, a fim de que a imagem radiográfica obtida ou adquirida exerça o seu papel na elaboração final do diagnóstico. Salienta-se, ainda, que o exame histopatológico é conclusivo.

É imprescindível que o profissional tenha um embasamento da anatomia craniofacial, conhecendo as suas possíveis variações da normalidade. Ele também deve saber o *modus operandi* para a utilização das diferentes incidências radiográficas convencionais e dos métodos recentes de diagnóstico por imagem, a fim de que possa compreender a imagem radiográfica obtida ou adquirida.

Dessa forma, torna-se menor o grau de dificuldade em distinguir as imagens radiográficas consideradas dentro dos padrões de normalidade e aquelas compatíveis com afecções, não somente caracterizando-as, mas também observando seus limites em relação às estruturas ou reparos anatômicos vizinhos.

A ausência de profundidade, característica das imagens radiográficas convencionais – ou seja, uma imagem bidimensional de uma estrutura tridimensional –, leva à execução de diferentes incidências radiográficas na tentativa de elaborar uma possível configuração espacial do que se está procurando interpretar.

OBJETIVOS DE APRENDIZAGEM:

- Conhecer os princípios fundamentais para a interpretação das imagens radiográficas
- Analisar as diferentes características da imagem radiográfica

PARA PENSAR

Da mesma forma que o escultor tem a arte nas mãos, o pintor nos pincéis, e o músico nos seus instrumentos, o cirurgião-dentista, em particular o radiologista odontológico, tem nos exames imaginológicos, dentre as suas finalidades, a arte de interpretar.

É claro que, com o avanço tecnológico, surgiram os métodos recentes de diagnóstico por imagem, que propiciam melhores condições para a elaboração de uma imagem, sem apresentar a sobreposição das estruturas. Consequentemente, esses métodos fornecem uma interpretação radiográfica mais segura. Entretanto, o profissional deve ter em mente que a somatória das informações obtidas ou adquiridas pelos diferentes exames imaginológicos é preponderante diante da evolução tecnológica presente nos dias atuais.

Nunca se deve esquecer que o exame imaginológico é um momento estático de algo que está em franca dinâmica. Isso quer dizer que a imagem representa uma dada situação clínica que poderá, ou não, ser a mesma no futuro, dependendo do grau de agressividade da lesão e/ou do estado físico do paciente.

ASPECTOS FUNDAMENTAIS NA INTERPRETAÇÃO RADIOGRÁFICA

ACHADO RADIOGRÁFICO

Na maioria das vezes, o cirurgião-dentista, ao solicitar determinado exame imaginológico, já sabe da possível imagem concernente ao quadro clínico a ser avaliado ou possui uma suspeita da ocorrência de alguma alteração ou variação da normalidade. Porém, a imagem radiográfica revela algumas alterações, muitas vezes, não indagadas ou esperadas pelo profissional, ou de desconhecimento pelo paciente. Pode-se citar, por exemplo, a displasia cemento-óssea periapical (Fig. 5.1) e o defeito ósseo de desenvolvimento da mandíbula – antigo cisto ósseo de Stafne (Fig. 5.2).

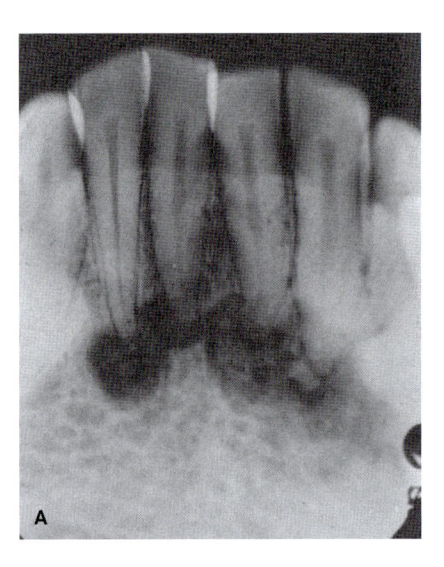

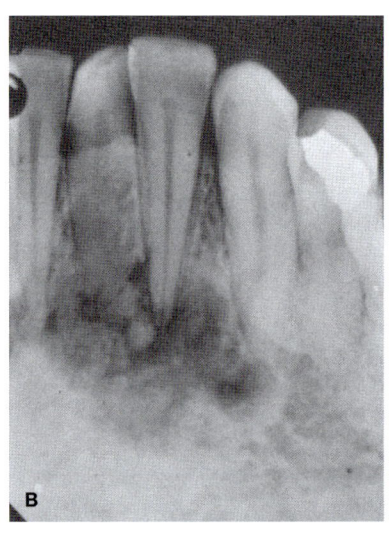

Figura 5.1 – Fases osteolítica (A) e cementoblástica da displasia cemento-óssea periapical (B) observadas em imagens radiográficas periapicais.

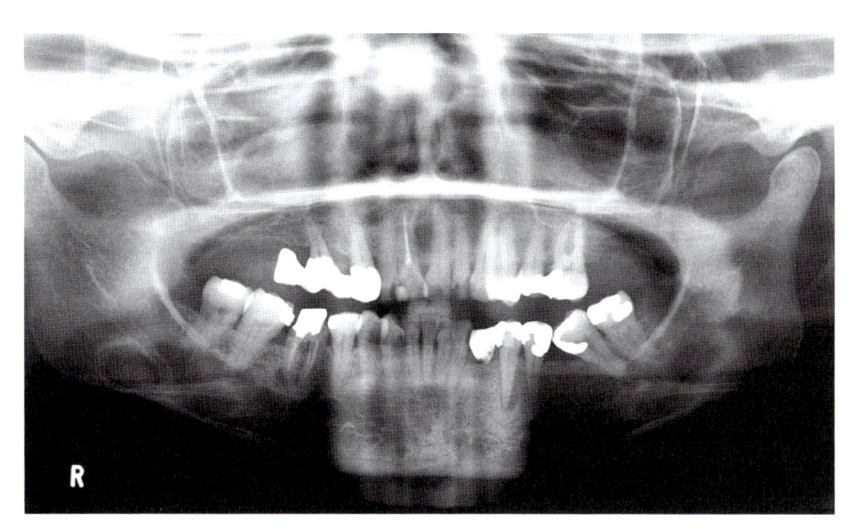

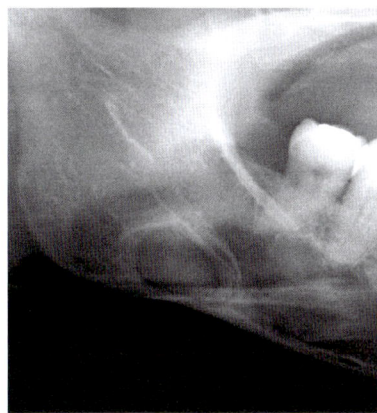

Figura 5.2 – Imagem radiográfica panorâmica mostrando área radiolúcida, unilocular, de limites definidos e corticalizados, localizada abaixo do canal da mandíbula e acima ou sobre a base da mandíbula, do lado direito, compatível com defeito ósseo de desenvolvimento da mandíbula.

Na ocorrência de um achado radiográfico, este deve ser totalmente caracterizado no laudo radiográfico, a fim de possibilitar ao profissional a total compreensão da imagem observada.

LOCALIZAÇÃO TOPOGRÁFICA

A localização topográfica é um referencial importante para a elaboração das possíveis hipóteses diagnósticas que compõem o diagnóstico diferencial. Em vista disso, não basta apenas relatar que a alteração se encontra na maxila e/ou na mandíbula, ou ainda mencionar se está no lado esquerdo ou direito; o ato de localizar é muito mais do que isso.

Por exemplo, o fibroma cemento-ossificante deve ser descrito, no laudo radiográfico, como uma área de densidade mista, multilocular, de limites definidos e corticalizados, com a presença do elemento dental 33 não irrompido, com rizogênese incompleta, localizada desde a sínfise mentual até região de trígono retromolar, estendendo-se desde a crista óssea alveolar até a base da mandíbula, a qual se apresenta com abaulamento, respeitando o ângulo da mandíbula, do lado esquerdo, sugestiva de fibroma cemento-ossificante (Figs. 5.3 A-C).

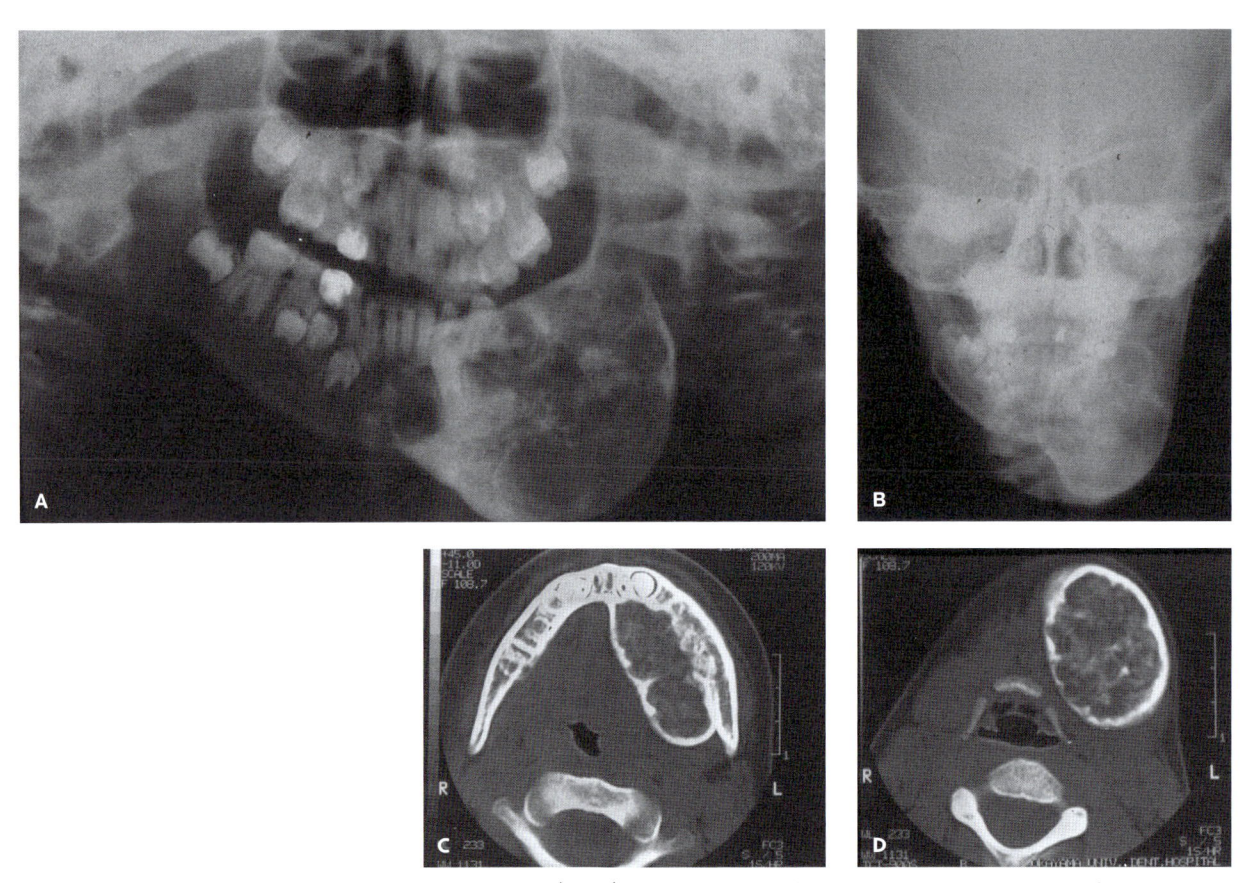

Figuras 5.3 – (A e B) Imagem radiográfica panorâmica e telerradiografia em norma frontal mostrando área de densidade mista, multilocular, de limites definidos e corticalizados, com a presença do elemento dental 33 não irrompido, com rizogênese incompleta, localizada desde a sínfise mentual até a região do trígono retromolar, estendendo-se desde a crista óssea alveolar até a base da mandíbula, a qual se apresenta com abaulamento, respeitando o ângulo da mandíbula, do lado esquerdo, sugestiva de fibroma cemento-ossificante. (C e D) Cortes axiais da TC mostrando área de densidade mista, multilocular, de limites definidos e hiperdensos, evidenciando abaulamento e adelgaçamento da cortical lingual.

Fonte: Imagens gentilmente cedidas pela Faculdade de Odontologia da Universidade de Okayama – Japão.

CONTROLE DA EVOLUÇÃO DE LESÕES ÓSSEAS

ATENÇÃO

Todo cuidado é necessário, pois a mesma lesão pode apresentar diferentes aspectos imaginológicos na sua evolução. Consequentemente, pode haver distintas hipóteses diagnósticas relacionadas a cada um desses aspectos imaginológicos.

O exame imaginológico é um *flash* na franca dinâmica de um processo patológico. Na avaliação de uma imagem radiográfica compatível com uma lesão, não se pode considerá-la uma imagem definitiva, uma vez que no desenvolvimento, ou melhor, na busca de sua maturação, algumas modificações podem acarretar alterações no padrão imaginológico.

Como exemplo, destaca-se a displasia cemento-óssea periapical com seus três estágios (osteolítico, cementoblástico e de maturação) e seus respectivos padrões radiográficos (radiolúcido, misto e radiopaco).

CONTROLE DE CICATRIZAÇÃO (REPARAÇÃO)

O ideal seria que, quando da interpretação das imagens radiográficas, as informações referentes à lesão em questão fossem transmitidas ao radiologista:

- seus aspectos clínicos;
- se existe associação, ou não, com doença sistêmica;
- o tratamento executado;
- quando possível, os exames imaginológicos anteriores.

Por exemplo, muitas vezes uma área radiolúcida ou hipodensa, localizada no ramo da mandíbula – local de prévia existência de um tumor odontogênico, removido cirurgicamente –, não necessariamente representa uma recidiva da lesão, e sim uma área em processo de reparação óssea muito lento, podendo ainda ser compatível com uma fibrose cicatricial.

CARACTERÍSTICAS DA IMAGEM

DENSIDADE

As imagens radiográficas referentes a lesões intraósseas podem ser classificadas da maneira descrita a seguir, dependendo do estágio de evolução (Fig. 5.4):

- **Radiolúcidas**, para imagens radiográficas convencionais, ou **hipodensas**, para TCs (lesões osteolíticas): imagem de radiolucência uniforme (homogênea) ou não, compatível com o grau de destruição óssea observada na imagem radiográfica. Deve-se salientar que pode variar o grau de radiolucência da

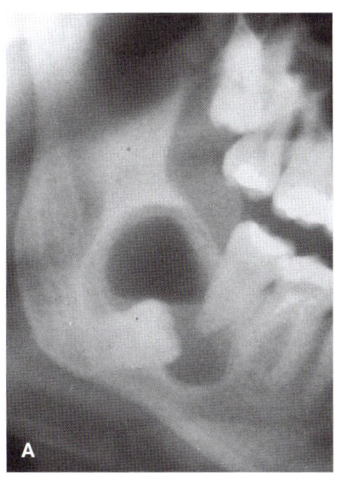

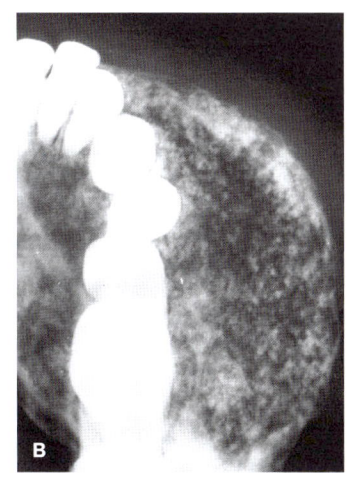

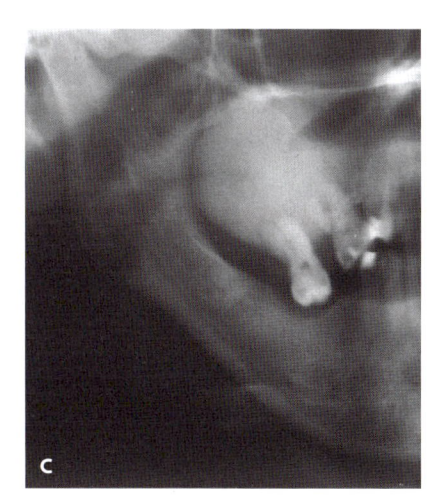

Figura 5.4 – (A) Imagem radiográfica radiolúcida ou osteolítica: cisto dentígero; (B) imagem radiográfica de densidade mista: fibroma cemento-ossificante; (C) imagem radiográfica radiopaca: displasia fibrosa monostótica, respectivamente.

imagem radiográfica relativa a uma lesão classificada como osteolítica, pois a destruição óssea muitas vezes ocorre em níveis diferentes de profundidade no interior do tecido ósseo.
- **Mistas**, tanto para as radiografias convencionais como para as TCs: a lesão apresenta seu comportamento clínico em uma fase intermediária, ou seja, no interior da radiolucência, que deve ser dominante, aparecendo focos de material radiopaco/hiperdenso. Exemplos: fibroma cemento-ossificante ou tumor odontogênico adenomatoide.
- **Radiopacas**, para radiografias convencionais, ou **hiperdensas**, para TCs (lesão condensante): imagem altamente calcificada ou mineralizada, diferenciando-se do padrão imaginológico do trabeculado ósseo normal vizinho, por exemplo, nas imagens radiográficas de displasia fibrosa monostótica.

FORMA

A forma da lesão pode variar na imagem radiográfica, dependendo de sua natureza e desenvolvimento, constituindo-se em um critério importante na sua descrição, no laudo radiográfico, para a elaboração das hipóteses diagnósticas. Classifica-se a forma da lesão na imagem radiográfica do seguinte modo:

- **Unilocular** – ocorrência de um único lóculo, referente à destruição óssea no interior dos maxilares (Fig. 5.5).
- **Multilocular** – existência de vários lóculos, com diâmetros similares ou diferentes, separados por septos intraósseos (Fig. 5.6):
  - aparência de bolhas de sabão (lóculos de diâmetros diferentes) ou de favo de mel (lóculos de diâmetros similares) apresentando septos intraósseos semicirculares ou circulares entre si;
  - aparência de raquete de tênis ou teia de aranha, com septos intraósseos paralelos, oblíquos ou perpendiculares entre si, com a septação intraóssea mais organizada.
- **Pseudomultilocular** – ocorrência de um lóculo sugerindo a presença (não visível com fidedignidade na imagem radiográfica)

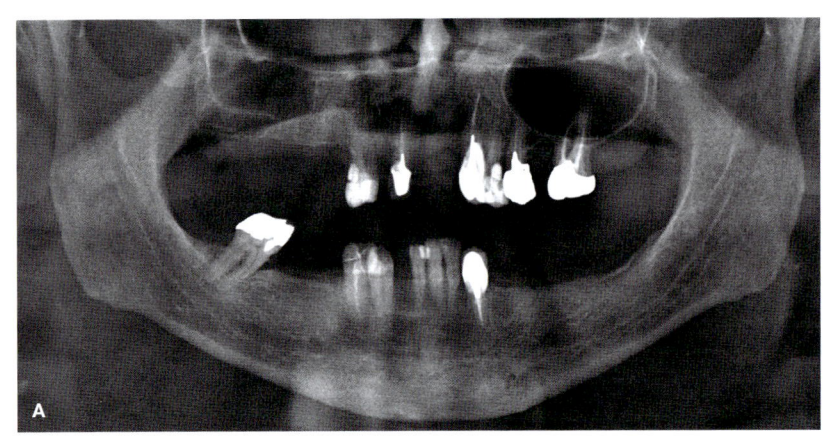

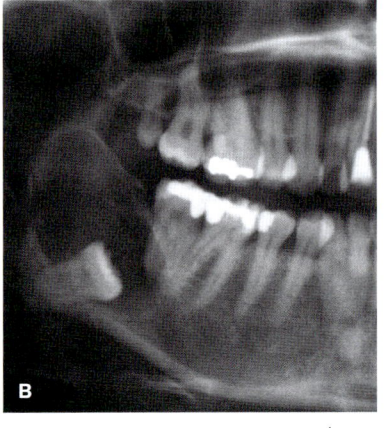

Figura 5.5 – (A e B) Imagens radiográficas radiolúcidas uniloculares sugestivas de cisto periapical localizado na maxila (lado esquerdo) e cisto dentígero situado na mandíbula (lado direito), respectivamente.

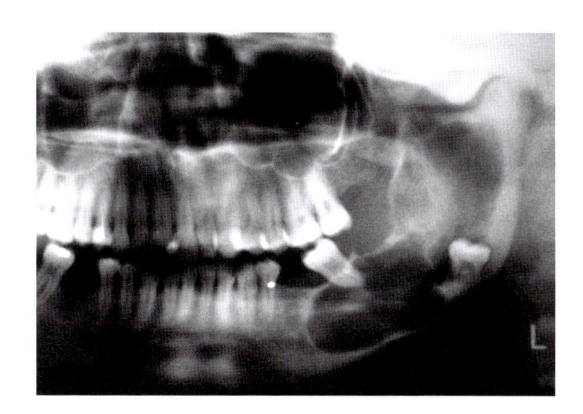

Figura 5.6 – Imagem radiográfica radiolúcida, multilocular, com o aspecto radiográfico de bolhas de sabão, mostrando no seu interior septos intraósseos semicirculares ou circulares entre si, de limites definidos e discretamente corticalizados, associada ao dente 38 não irrompido, com rizogênese completa, deslocado em direção à base da mandíbula e ao ângulo da mandíbula correspondentes, com abaulamento, adelgaçamento e solução de continuidade da crista óssea alveolar e da borda anterior do ramo da mandíbula e discreto abaulamento e adelgaçamento da base da mandíbula, localizada no corpo da mandíbula, região de trígono retromolar, ramo da mandíbula, estendendo-se até a incisura da mandíbula e processo coronoide da mandíbula, respeitando o ângulo da mandíbula correspondente, do lado esquerdo, sugestiva de ameloblastoma.

de septos intraósseos no interior da área em questão. Como exemplo, pode-se citar o padrão radiográfico do tumor odontogênico ceratocístico.
- **Arredondada ou ovalada**.

LIMITES

É de extrema importância que se observem com detalhe, na imagem radiográfica, os limites da imagem concernente a uma lesão, pois o tipo de limite é um critério indispensável na dinâmica da elaboração das hipóteses diagnósticas. Os limites podem ser classificados da maneira descrita a seguir.

- **Limites definidos** – a lesão apresenta crescimento lento e se encontra separada ou distinta do padrão radiográfico do trabeculado ósseo vizinho sadio por um halo radiolúcido ou banda radiolúcida, os quais representam uma fase do padrão radiográfico evolutivo da lesão ou uma atividade osteoclástica por parte do tecido ósseo vizinho sadio devido a lesão. Como exemplos, podem-se citar a fase cementoblástica da displasia cemento-óssea periapical, a displasia cemento-óssea florida ou o cementoblastoma (Fig. 5.7).
- **Limites definidos e corticalizados** – a lesão apresenta crescimento lento, consequentemente, o tecido ósseo vizinho sadio tenta conter esse crescimento por meio de uma atividade osteoblástica, resultando na formação de uma barreira de tecido ósseo compacto. Essa barreira é representativa da osteogênese reacional, considerada uma reação óssea fisiológica normal, a qual é visível na imagem radiográfica sob a forma de uma linha de esclerose óssea ou halo radiopaco ou halo esclerótico uniforme. Como exemplo, cita-se o padrão radiográfico referente ao cisto dentígero (Fig. 5.8).
- **Limites difusos (esfumaçados)** – a afecção pode apresentar um crescimento muito agressivo e rápido, o que impede o tecido ósseo vizinho sadio de ter uma reação fisiológica de defesa mais eficiente, ou seja, a formação de um halo radiopaco ou esclerótico. Portanto, não é possível identificar, com segurança, até onde está localizada a referida lesão, em relação ao padrão radiográfico normal, referente à arquitetura óssea presente no maxilar (Fig. 5.9).

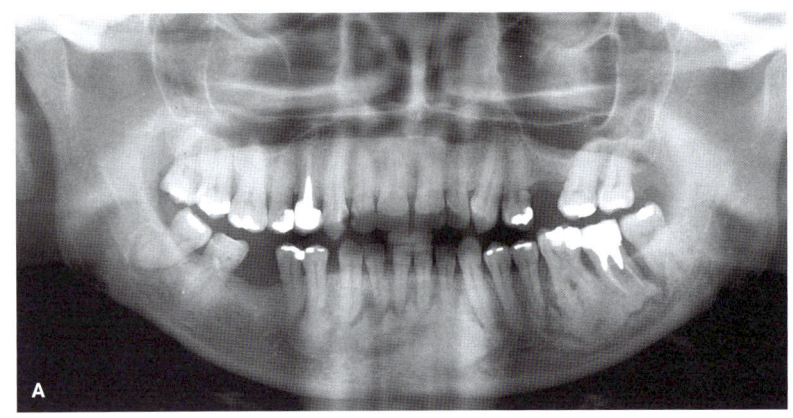

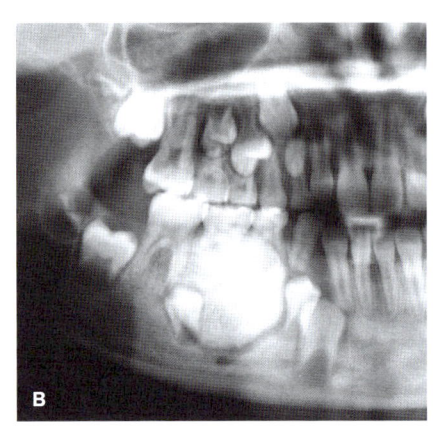

Figura 5.7 – (A) Radiografia panorâmica apresentando imagens radiopacas, de limites definidos por uma banda radiolúcida ou halo radiolúcido, situadas nas regiões anterior e posterior da mandíbula, compatíveis com o estágio de maturação da displasia cemento-óssea periapical e displasia cemento-óssea florida, respectivamente. (B) A imagem radiográfica panorâmica apresenta uma área radiopaca, ovalada, de limites definidos por uma banda radiolúcida ou halo radiolúcido, associada ao dente 85, com deslocamento da posição intraóssea dos elementos dentais em formação (43, 44 e 45), com deslocamento do forame mentual, situado inferiormente à imagem radiográfica supracitada e vizinho ao canal da mandíbula e à base da mandíbula correspondentes, localizada no corpo da mandíbula, lado direito, sugestiva de cementoblastoma ou osteoblastoma.

Figura 5.8 – Radiografia panorâmica mostrando área radiolúcida, unilocular, de limites definidos e corticalizados devido à presença de halo radiopaco ou esclerótico, associada ao dente 37 não irrompido, com rizogênese completa e apresentando dilaceração radicular, deslocado em direção à base da mandíbula correspondente, localizada no corpo da mandíbula, lado esquerdo, sugestiva de cisto dentígero.

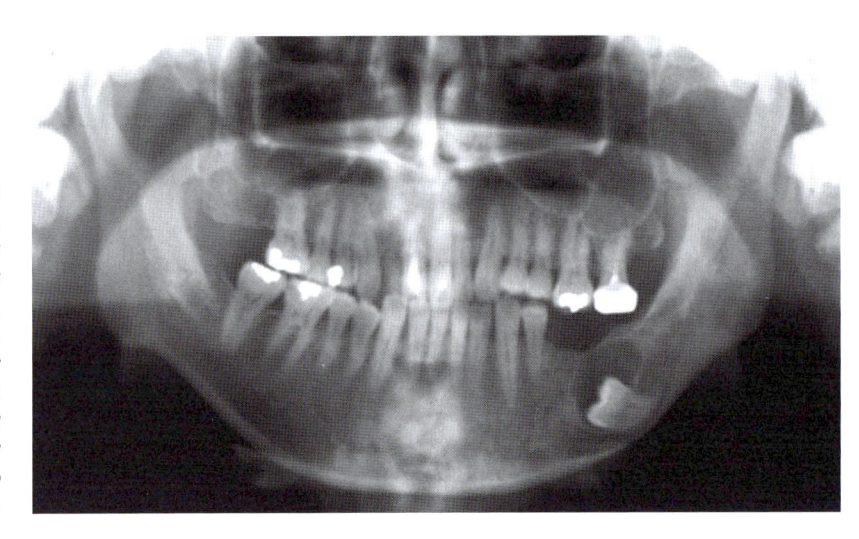

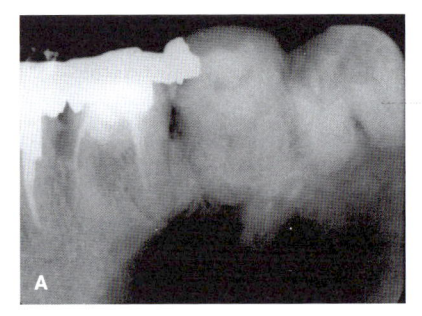

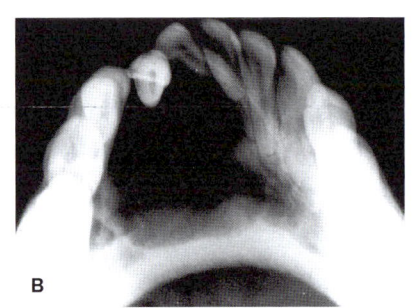

Figura 5.9 – Imagem radiográfica periapical de molares inferiores, do lado esquerdo, mostrando limites difusos ou esfumaçados, o que pode ser observado também na imagem radiográfica oclusal.

ALTERAÇÃO NAS CORTICAIS ÓSSEAS

A imagem radiográfica das corticais ósseas é um fator que conduzirá o raciocínio do radiologista, o qual deve discernir se a imagem é compatível com uma lesão considerada benigna ou maligna.

As corticais podem se apresentar expandidas, ou melhor, abauladas, devido ao crescimento da lesão no interior do tecido ósseo, podendo estar ou não adelgaçadas. A integridade da cortical óssea, estando abaulada e/ou adelgaçada, representa uma possível existência de lesão benigna (salvo algumas exceções) (Fig. 5.10). Porém, quando a cortical óssea se apresenta rompida, existindo, portanto, uma solução de continuidade da cortical, na maioria dos casos, sugere-se uma lesão maligna (Fig. 5.11).

Os tumores de tecidos moles, muitas vezes, no seu desenvolvimento, apresentam uma relação de proximidade com a cortical óssea. Assim, podem causar, por contiguidade, uma erosão, área de discreta rarefação óssea, nem sempre muito visível radiograficamente com detalhe, dependendo do seu grau.

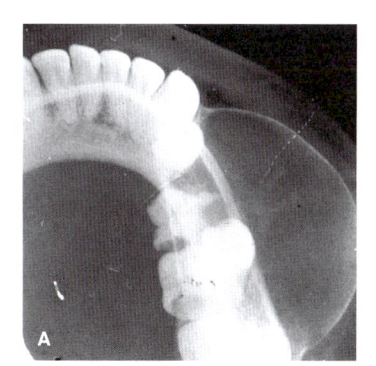

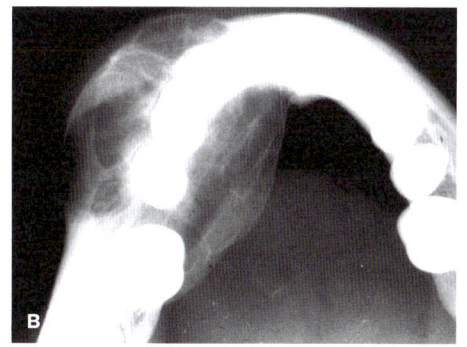

Figura 5.10 – (A e B) Imagens radiográficas oclusais mostrando abaulamento ou expansão e adelgaçamento das corticais vestibular e lingual, sem ocorrer solução de continuidade (rompimento).

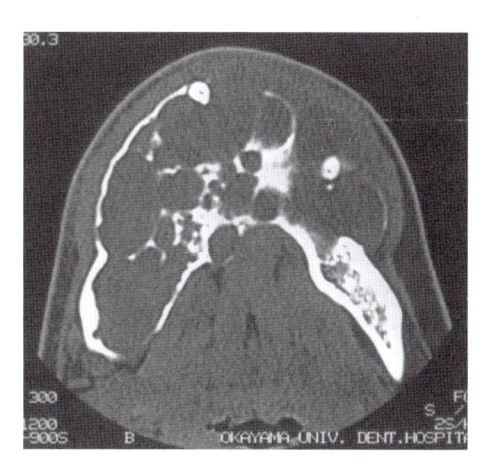

Figura 5.11 – Corte axial em TC mostrando o abaulamento ou expansão, adelgaçamento e solução de continuidade (rompimento) em algumas regiões das corticais vestibular e lingual.

Imagens gentilmente cedidas pela Faculdade de Odontologia da Universidade de Okayama – Japão.

ALTERAÇÕES NOS ELEMENTOS DENTÁRIOS E NAS ESTRUTURAS ANATÔMICAS VIZINHAS

Os elementos dentários implantados nos respectivos processos alveolares dos maxilares podem ou não sofrer consequências devido ao desenvolvimento e ao crescimento de uma lesão. As **lesões consideradas benignas** normalmente crescem no interior do tecido ósseo, respeitando a integridade alvéolo-dentária, ou seja, respeitando o espaço pericementário e a lâmina dura, mesmo estando contíguas ao elemento dentário.

Quando a destruição óssea atinge o processo alveolar, comprometendo a integridade alvéolo-dentária, a imagem radiográfica apresenta-se como se os dentes estivessem "flutuantes" na massa tumoral. Essa característica imaginológica é concernente a uma **afecção considerada maligna** (Fig. 5.12).

As lesões podem estar associadas a dentes não irrompidos; podem causar deslocamento de dentes de suas posições naturais de implantação no processo alveolar dos maxilares ou deslocá-los de sua trajetória de irrupção; e os graus de formação e mineralização dos germes dentários podem ser comprometidos, resultando em anomalias dentais.

Constata-se, em algumas situações, a ocorrência do aumento simétrico do espaço pericementário, hipercementose ou a reabsorção radicular externa classificada nos padrões radiográficos: irregular, ponta de faca (presente em lesões benignas) ou em pico (característica das lesões malignas) (Fig. 5.12).

Os seguintes acidentes ou estruturas anatômicas vizinhas, presentes no complexo maxilomandibular, são passíveis de serem comprometidos pelo desenvolvimento e crescimento de uma lesão:

- na maxila – assoalho ou corticais do seio maxilar, assoalho e parede lateral da cavidade nasal e assoalho da cavidade orbital (Fig. 5.13);
- na mandíbula – trajetória e integridade das corticais do canal da mandíbula; localização e integridade do forame mentual; abaulamento, adelgaçamento e/ou solução de continuidade da crista óssea alveolar, da borda anterior do ramo da mandíbula e da base da mandíbula; preservação ou não do ângulo da mandíbula (Fig. 5.14).

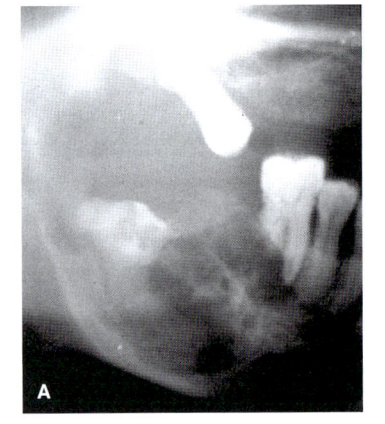

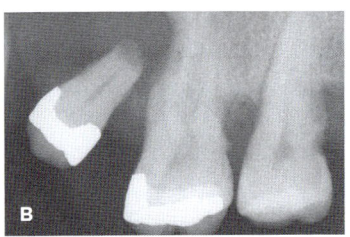

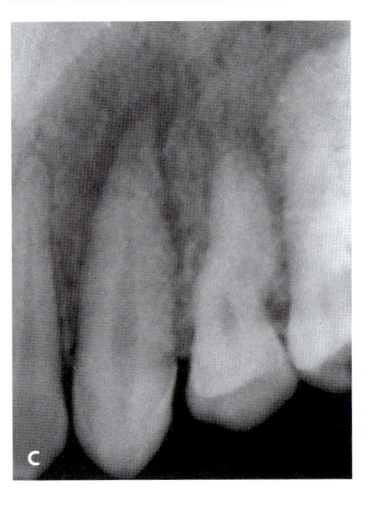

Figura 5.12 (A) – Imagem radiográfica panorâmica apresentando reabsorção radicular externa, no padrão radiográfico de ponta de faca, presente no dente 46, o qual se apresenta com extrusão. (B) Imagem radiográfica periapical de pré-molares superiores, do lado esquerdo, em que se observa a perda de integridade alvéolo-dentária do elemento dental 25, associada à reabsorção radicular externa, como se estivesse "flutuando" na massa tumoral. (C) Imagem radiográfica periapical de incisivo lateral e canino superiores, do lado esquerdo, mostrando a reabsorção radicular externa em pico, no dente 23, acompanhada do aumento simétrico do espaço pericementário correspondente, como consequência da ocorrência de uma possível lesão maligna.

A compreensão e a utilização desses conceitos possibilitam ao radiologista uma maior facilidade ao interpretar, caracterizar e descrever a imagem radiográfica, elaborando o diagnóstico diferencial com maior segurança.

O valor do radiologista não se reconhece somente pelo seu acesso aos diferentes métodos imaginológicos, mas principalmente pela qualidade e acurácia de sua interpretação radiográfica, expressa no laudo radiográfico.

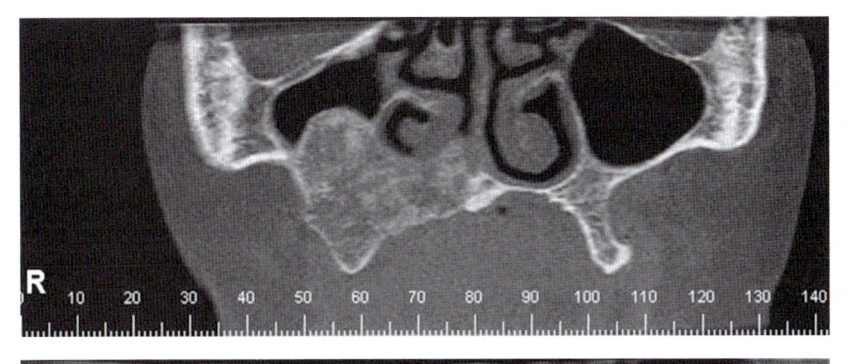

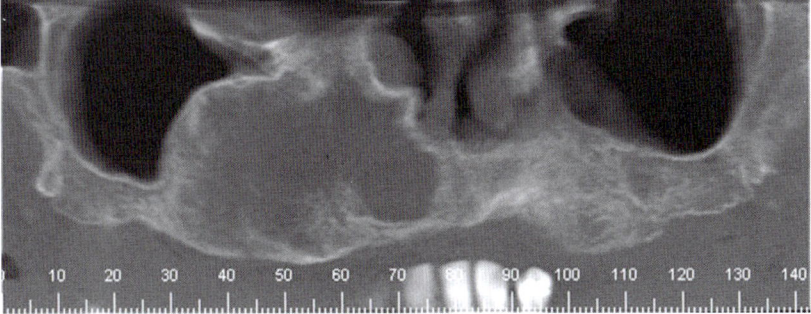

Figura 5.13 – Corte coronal (A) e corte panorâmico (B) de CBTC. Observa-se imagem de densidade mista, localizada no processo alveolar da maxila, com comprometimento do seio maxilar, do assoalho e da parede lateral da cavidade nasal, no lado direito, sugestiva de displasia fibrosa monostótica.

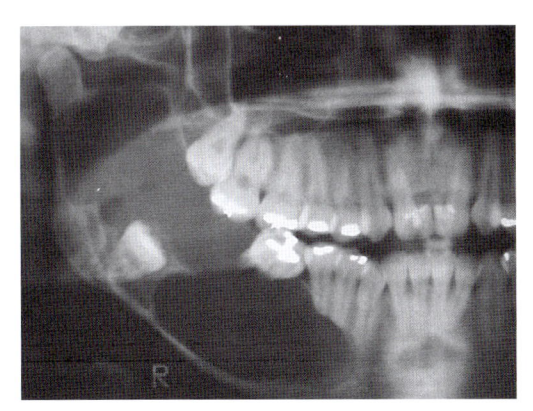

Figura 5.14 – Imagem radiográfica panorâmica em que se observa área radiolúcida, pseudomultilocular, de limites definidos e discretamente corticalizados, associada ao dente 48 não irrompido, com rizogênese completa, deslocado em direção à base da mandíbula correspondente, com reabsorção radicular externa, com o padrão radiográfico em ponta de faca, nos dentes 44 e 45. Observa-se também deslocamento de posição de implantação no processo alveolar do dente 47, com perda de definição da trajetória e corticais do canal da mandíbula, na extensão da imagem radiolúcida, com exceção da região do referido dente 48, onde o canal da mandíbula se apresenta deslocado e vizinho à base da mandíbula correspondente. Também não se observa o forame mentual correspondente; com abaulamento ou expansão e adelgaçamento da borda anterior do ramo da mandíbula e adelgaçamento da base da mandíbula correspondentes, localizada no corpo da mandíbula, região de trígono retromolar, ramo da mandíbula, com comprometimento da incisura da mandíbula e processo coronoide da mandíbula, lado direito, sugestiva de ameloblastoma.

6

Estudo imaginológico das afecções dos seios maxilares

CLAUDIO FRÓES DE FREITAS
THÁSIA LUIZ DIAS FERREIRA

O estudo imaginológico das cavidades paranasais assegura, aos profissionais das diferentes especialidades odontológicas, uma melhor capacidade de avaliação e planejamento de suas atuações no sistema estomatognático.

A proximidade anatômica dos seios paranasais, em particular dos seios maxilares, com o processo alveolar da maxila resulta em interações, as quais podem representar um processo de defesa ou até mesmo a ocorrência de afecções, com ou sem manifestações clínicas. Assim, torna-se imprescindível uma avaliação imaginológica do complexo maxilofacial, principalmente dos seios maxilares.

Os seios paranasais se desenvolvem a partir da integração das partes ósseas que surgem no interior das formações nasais embriológicas.

Dentre as cavidades paranasais, destaca-se o seio maxilar, também conhecido como antro de Highmore, o qual surge em torno da 12ª semana, no estágio fetal, sob a forma de uma pequena invaginação.

Ao nascimento, o seio maxilar apresenta forma arredondada ou alongada, que acompanha a irrupção dos dentes decíduos, tornando-se gradativamente piramidal após o aparecimento dos dentes permanentes. Em torno dos 13 anos de idade cronológica, o seio maxilar adquire a forma adulta; próximo aos 18 anos, suas proporções se estabilizam (Fig. 6.1).

OBJETIVOS DE APRENDIZAGEM:

- Conhecer a anatomia dos seios maxilares, identificando sua forma, volume e localização
- Identificar de que maneira se apresentam, às avaliações imaginológicas, as principais afecções que acometem essa região

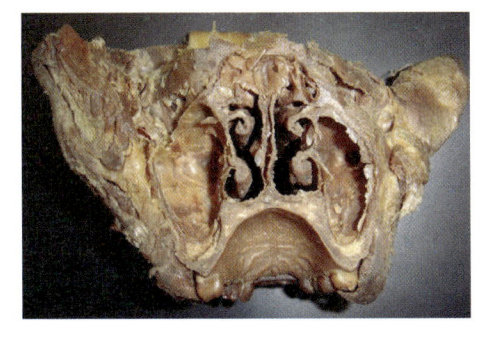

Figura 6.1 – Peça anatômica mostrando os seios maxilares, nos lados direito e esquerdo.

Fonte: Imagem gentilmente cedida pelo Laboratório de Morfologia da Universidade Cidade de São Paulo.

Os seios maxilares são considerados cavidades piramidais, localizadas no interior das maxilas, sendo delimitadas pelas seguintes paredes:

- parede superior, ou teto do seio maxilar, representada pelo assoalho da cavidade orbital;
- parede inferior, denominada assoalho, a qual se relaciona com os ápices dentários superiores posteriores (Fig. 6.2);
- parede medial do seio, formada pela parede lateral da cavidade nasal;
- parede lateral, relacionada com o osso zigomático;
- parede anterior;
- parede posterior, relacionada à fossa pterigopalatina.

O volume médio do seio maxilar de um adulto é de aproximadamente 15mL; entretanto, cabe ressaltar que variações concernentes ao tamanho estão presentes entre os indivíduos, bem como entre os antímeros (lados direito e esquerdo) da mesma pessoa.

A variabilidade no volume do seio maxilar está relacionada à presença das denominadas extensões morfológicas, presentes na cavidade sinusal, como partes integrantes da sua arquitetura:

- extensão anterior do seio maxilar;
- extensão para-alveolar ou alveolar do seio maxilar;
- extensão posterior ou para túber do seio maxilar;
- extensão palatal do seio maxilar;
- extensão zigomática do seio maxilar.

A arquitetura do seio maxilar pode ainda apresentar variações anatômicas, consideradas dentro da normalidade, referentes à ocorrência de septos intraósseos, também denominados tabiques. Estes podem subdividir, parcial ou totalmente, a cavidade sinusal em pequenos compartimentos, denominados divertículos (Figs. 6.3 e 6.4).

É importante destacar a possibilidade de o canal infraorbital – localizado no teto sinusal, com o seu conteúdo vasculonervoso – separar-se do teto. Realizando uma trajetória diagonal posteroanterior, superoinferior e mediolateral, podendo emergir no

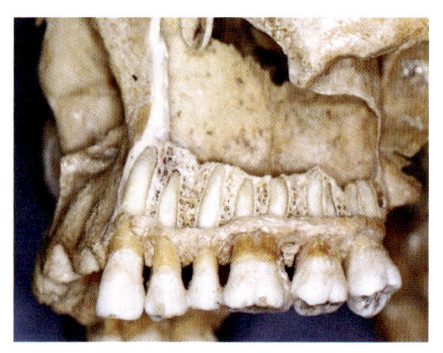

Figura 6.2 – Peça anatômica mostrando o assoalho do seio maxilar e sua relação com os ápices dentários superiores posteriores.
Fonte: Imagem gentilmente cedida pelo Laboratório de Morfologia da Universidade Cidade de São Paulo.

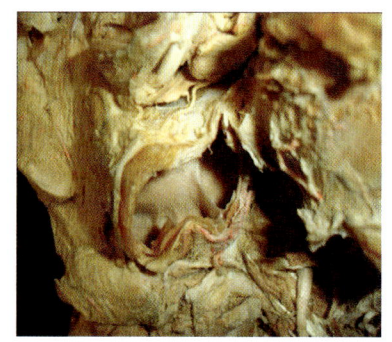

Figura 6.3 – Peça anatômica mostrando a presença de septo intraósseo no interior do seio maxilar.
Fonte: Imagem gentilmente cedida pelo Laboratório de Morfologia da Universidade Cidade de São Paulo.

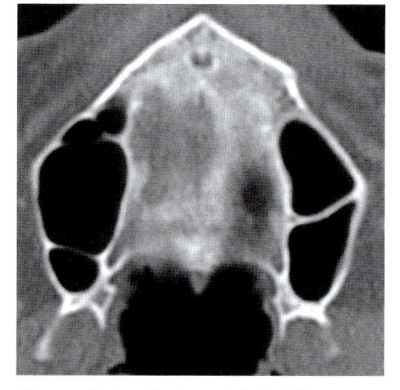

Figura 6.4 – Corte axial de TC mostrando a septação presente no interior das cavidades sinusais, para os lados direito e esquerdo.

forame infraorbital, localizado na parede anterior do seio maxilar. É possível observar essa ocorrência por meio da incidência radiográfica panorâmica (Fig. 6.5).

O seio maxilar apresenta uma via de drenagem para o interior da cavidade nasal, denominada complexo ostiomeatal, com a finalidade de proporcionar aeração e drenagem mucociliar. O complexo ostiomeatal é caracterizado pela presença de um óstio principal e outros acessórios, situados no meato nasal médio, entre as conchas nasais inferior e média, na parede lateral da cavidade nasal.

A interpretação radiográfica dos seios maxilares pode ser realizada por meio do estudo constituído de imagens radiográficas convencionais e/ou pela exploração de imagens obtidas por meio dos métodos recentes de diagnóstico por imagem. A associação de imagens radiográficas convencionais com aquelas obtidas pelos métodos recentes de diagnóstico por imagem é dependente da severidade do caso clínico.

O seio maxilar se apresenta radiograficamente como uma cavidade radiolúcida ou hipodensa, com suas corticais radiopacas ou hiperdensas bem definidas. No seu interior, apresenta a radiolucência definida, referente aos canais vasculonervosos ou nutrícios presentes na parede sinusal (Fig. 6.6), dependendo do exame imaginológico executado.

O cirurgião-dentista deve conhecer as diferentes alterações que podem acometer o seio maxilar, pois, muitas vezes, na execução de uma reabilitação oral, a identificação e a compreensão dessas afecções podem ser fatores importantes à realização do planejamento clínico. Serão descritas, a seguir, as principais alterações presentes no seio maxilar.

LEMBRETE

Uma imagem radiográfica não substitui a outra, e sim esclarece ou agrega novas informações ao caso, possibilitando a elaboração do diagnóstico diferencial com clareza e segurança.

Figura 6.5 – Radiografia panorâmica mostrando canal infraorbital sobreposto à imagem do seio maxilar, do lado esquerdo.

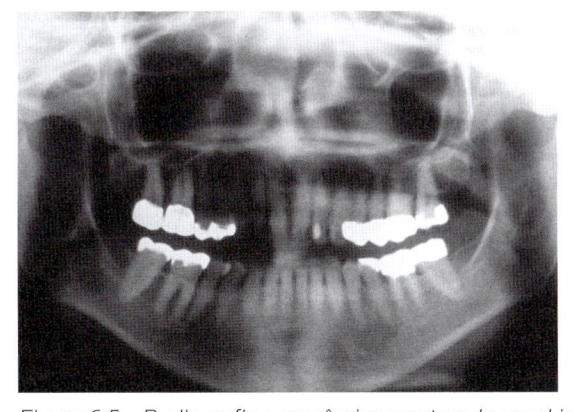

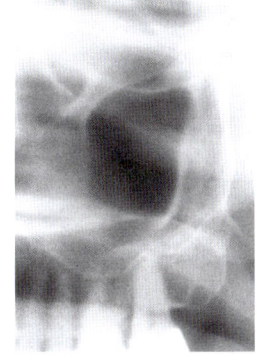

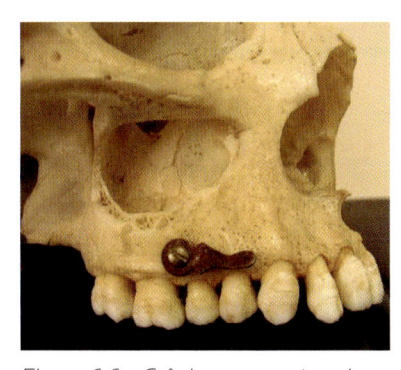

Figura 6.6 – Crânio seco mostrando a presença dos canais vasculonervosos ou nutrícios no interior do seio maxilar.

PNEUMATIZAÇÃO DO SEIO MAXILAR

O crescimento fisiológico do seio maxilar, também conhecido como pneumatização, geralmente ocorre até a idade cronológica de 22 anos, levando a alterações na morfologia e no tamanho da cavidade sinusal. Esse processo de crescimento se realiza em direção à crista do rebordo alveolar da maxila ou em direção ao corpo do osso zigomático (Figs. 6.7 e 6.8).

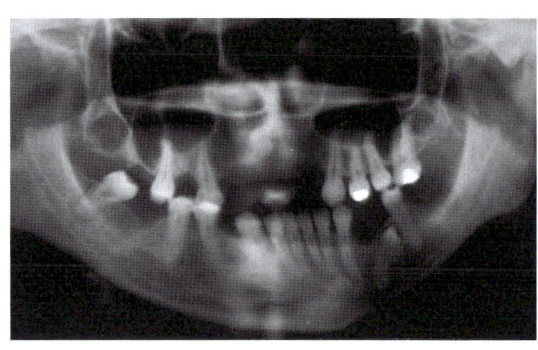

Figura 6.7 – Radiografia panorâmica com pneumatização presente nas cavidades sinusais, nos lados direito e esquerdo.

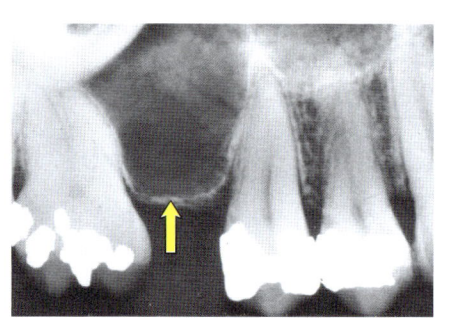

Figura 6.8 – Radiografia periapical de pré-molares superiores, no lado direito, com pneumatização na região do elemento 16 ausente no processo alveolar da maxila.

COMUNICAÇÃO BUCOSSINUSAL

A comunicação bucossinusal se caracteriza pela presença de uma solução de continuidade no assoalho do seio maxilar (rompimento ou fratura do assoalho do seio maxilar), decorrente da exodontia de elementos dentários superiores posteriores, em íntima relação topográfica com a cavidade sinusal, ou devido às manobras cirúrgicas intempestivas por parte do profissional, conduzindo à perda de assoalho sinusal.

Dependendo de sua localização, a comunicação bucossinusal pode ser evidenciada por meio de uma radiografia periapical ou TC (Figs. 6.9 e 6.10).

> **ATENÇÃO**
>
> O diagnóstico de comunicação bucossinusal está principalmente embasado nas características clínicas, respaldadas no exame imaginológico.

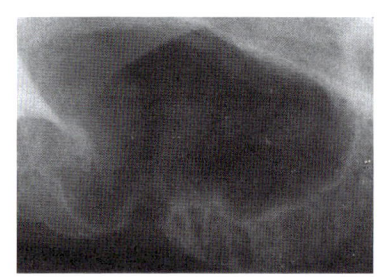

Figura 6.9 – Radiografia periapical de pré-molares superiores, no lado direito, mostrando solução de continuidade do assoalho do seio maxilar correspondente, sugestiva de comunicação bucossinusal.

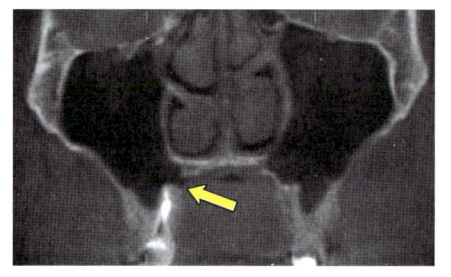

Figura 6.10 – Corte coronal de TC mostrando solução de continuidade do assoalho do seio maxilar, de localização palatal, no lado direito, compatível com comunicação bucossinusal.

TRAUMATISMO NO COMPLEXO MAXILOFACIAL COMPROMETENDO A CAVIDADE SINUSAL

Na presença de um trauma no complexo maxilofacial, com o comprometimento da cavidade sinusal, a interpretação desse trauma por meio dos diferentes exames imaginológicos requer que se responda a três perguntas:

- Onde está localizada a solução de continuidade do tecido ósseo?
- Qual é a extensão da solução de continuidade do tecido ósseo?
- Quais são as consequências da presença da solução de continuidade óssea em relação às estruturas anatômicas vizinhas?

Nos casos de envolvimento sinusal, geralmente é necessário associar incidências radiográficas convencionais a métodos recentes de diagnóstico por imagem, para que se possa elaborar uma interpretação radiográfica que efetivamente auxilie o cirurgião bucomaxilofacial na realização do planejamento cirúrgico, visando a um excelente prognóstico (Fig. 6.11).

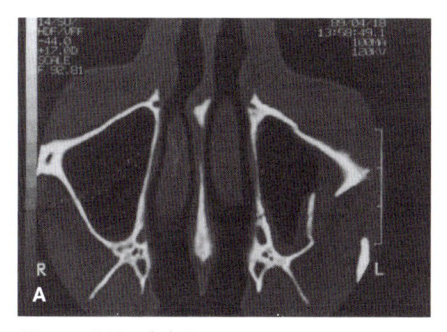

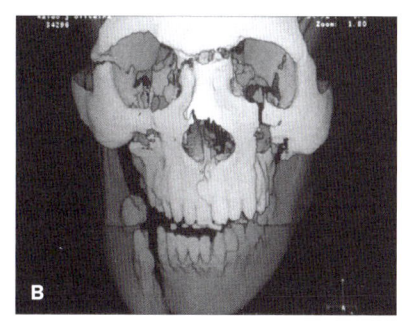

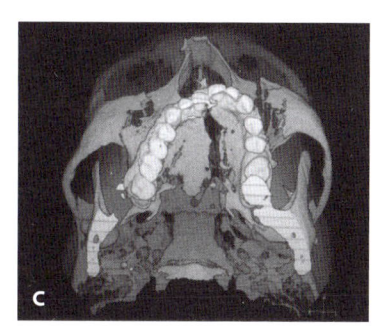

Figura 6.11 – (A) Corte axial mostrando solução de continuidade na parede lateroposterior do seio maxilar, no lado esquerdo; (B e C) imagens de reconstrução tridimensional do complexo maxilofacial, observando-se o comprometimento sinusal no politraumatismo presente.

MUCOSITE, ESPESSAMENTO MUCOSO E OSTEOESCLEROSE SINUSAL FOCAL

Um foco infeccioso de origem odontogênica poderá resultar em abscesso periapical (rarefação óssea periapical difusa), granuloma (rarefação óssea periapical circunscrita) ou cisto periapical (rarefação óssea periapical circunscrita de aspecto cístico), contíguo ao assoalho do seio maxilar. Nesses casos, a mucosa sinusal correspondente, como defesa diante dessa lesão periapical, estabelece um processo inflamatório, *in loco*, denominado mucosite.

A mucosite é caracterizada por espessamento mucoso, representado por um aumento de radiopacidade não corticalizada da mucosa, presente no assoalho sinusal. Geralmente, a mucosite é um achado imaginológico, pois o paciente não apresenta características clínicas relevantes (Figs. 6.12 e 6.13).

A mucosite, representada pelo espessamento mucoso presente no assoalho da cavidade sinusal, quando persiste por longa duração diante da presença do foco infeccioso periapical, pode estar associada a uma reação da cortical óssea, na área comprometida, denominada osteoesclerose sinusal focal (Fig. 6.14).

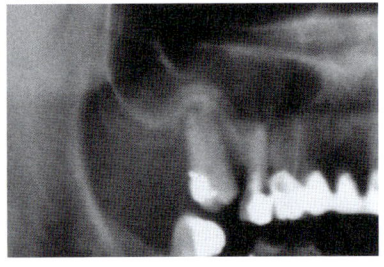

Figura 6.12 – Espessamento mucoso presente na região vizinha ao ápice do dente 16, o qual apresenta lesão periapical.

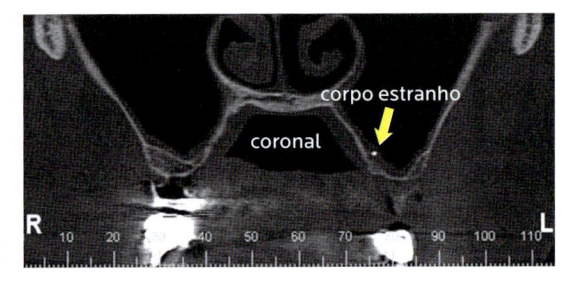

Figura 6.13 – Espessamento mucoso presente no assoalho da cavidade sinusal frente a um corpo estranho. Imagem referente ao corte coronal de TC.

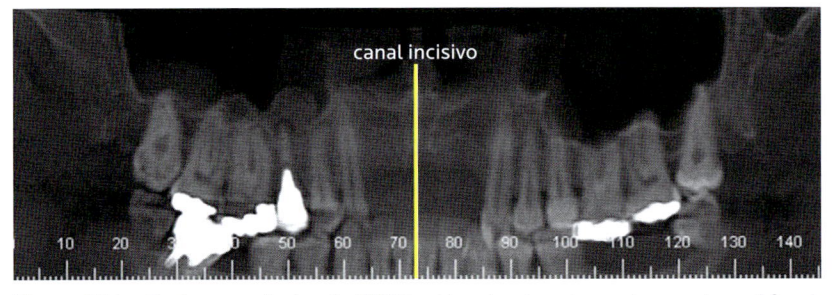

Figura 6.14 – Corte panorâmico de CBTC evidenciando osteoesclerose sinusal focal adjacente à lesão periapical presente no dente 15.

PÓLIPO SINUSAL E POLIPOSE SINUSAL

O pólipo sinusal ou a polipose sinusal (presente em todas as corticais sinusais) ocorre quando o processo inflamatório se estabelece na mucosa que reveste qualquer uma das paredes do seio maxilar diante de fatores etiológicos considerados extrínsecos (por exemplo, poeira, pó, pólen das flores), pois a sua via de entrada é por meio do complexo ostiomeatal.

Esse espessamento mucoso pode ser observado nas respectivas paredes sinusais, muitas vezes causando formações pendulares que se projetam para o interior do seio, na dependência da presença crônica do agente etiológico externo (Figs. 6.15 e 6.16).

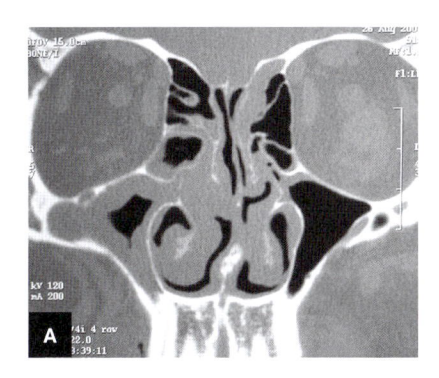

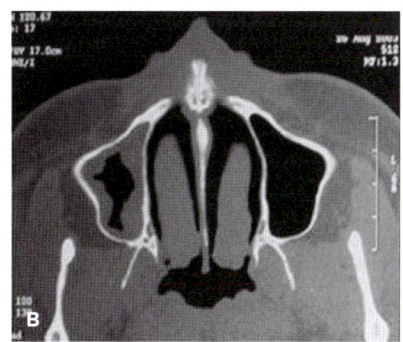

Figura 6.15 – (A e B) Imagens coronal e axial referentes à polipose sinusal, presente na cavidade sinusal, no lado direito.

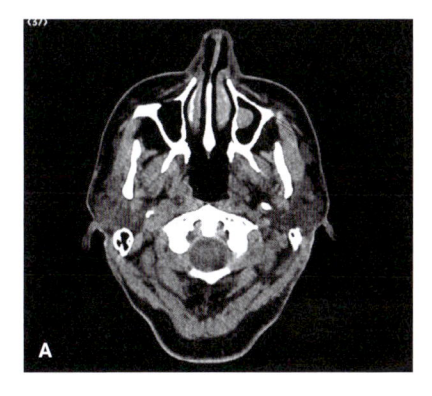

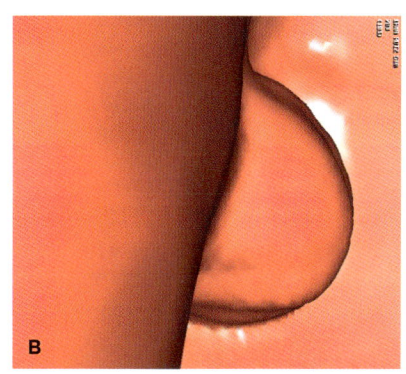

Figura 6.16 – Corte axial de TC mostrando pólipo sinusal presente na parede medial da cavidade sinusal esquerda e a imagem da sinuscopia virtual, com a caracterização do referido pólipo.

Fonte: Imagens gentilmente cedidas pela Profa. Dra. Adalsa Hernandez, da Clínica Félix Boada – Venezuela.

SINUSITE

O conjunto ciliar é a mucosa que reveste as paredes sinusais, caracterizada por ser um epitélio pseudoestratificado colunar ciliado, apoiado em um tecido conjuntivo denso, com células apresentando cílios na superfície apical, além da presença de células caliciformes produtoras de muco. Para que o seio maxilar possa realizar suas funções, é necessário haver uma relação de equilíbrio entre o funcionamento do conjunto ciliar e a manutenção da via de drenagem, representada pelo complexo ostiomeatal.

Quando ocorre a obstrução do complexo ostiomeatal, por um processo inflamatório generalizado na mucosa sinusal, devido a agentes etiológicos bacterianos, virais ou alérgicos, fica comprometida a drenagem natural de secreções. Consequentemente, há uma diminuição da ventilação, e a presença natural de microrganismos na cavidade sinusal proporciona o estabelecimento da sinusite.

A etiologia da sinusite aguda pode ser uma infecção do trato respiratório superior. Quando esta persiste, pode resultar em uma sinusite crônica, a qual pode estar também relacionada a traumas e comunicações bucossinusais.

O padrão radiográfico de uma sinusite é caracterizado pela perda parcial ou total da radiolucência da cavidade sinusal (devido ao acúmulo de secreção e ao espessamento mucoso sinusal), denominada velamento parcial ou total do seio maxilar nas imagens radiográficas convencionais (Fig. 6.17). Na interpretação dessa afecção, por meio da TC, utiliza-se a nomenclatura de obliteração parcial ou total do seio maxilar.

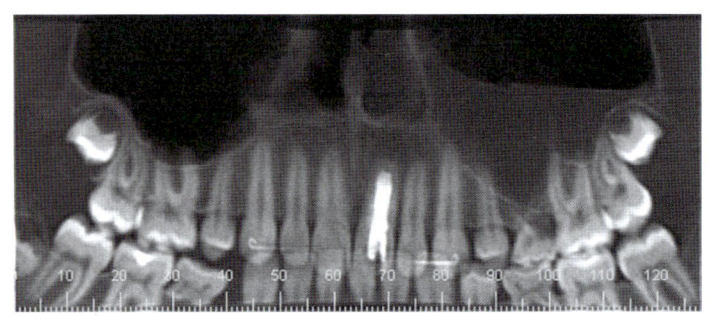

Figura 6.17 – Corte panorâmico de CBTC mostrando obliteração parcial da cavidade sinusal, no lado esquerdo, compatível com sinusite.

CISTO DE RETENÇÃO MUCOSO

Acredita-se que a provável etiologia do cisto de retenção mucoso esteja relacionada à obstrução dos ductos secretores das células caliciformes presentes na mucosa sinusal, responsáveis pela produção de muco. Essa lesão é considerada um achado imaginológico, caracterizando-se por uma imagem discretamente radiopaca ou hiperdensa, homogênea, não corticalizada, de forma ovalada, esférica ou em cúpula, de base estreita ou larga, localizada no assoalho do seio maxilar (Fig. 6.18).

O cisto de retenção mucoso pode permanecer estacionário no seu tamanho, bem como diminuir ou aumentar na sua dimensão. A regressão da lesão geralmente é espontânea.

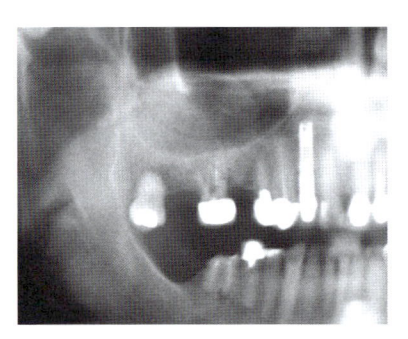

Figura 6.18 – Imagem radiopaca, de densidade homogênea, de limites definidos e não corticalizados, em forma de cúpula, localizada no assoalho da cavidade sinusal, no lado direito, sugestiva de cisto de retenção mucoso. Observa-se a sobreposição do canal vasculonervoso ou nutrício referente à artéria alveolar superior.

ANTROLITO

Os antrolitos geralmente se originam de material exógeno, sendo constituídos de água, matéria orgânica e deposição de sais minerais, como fosfato de cálcio, carbonato de cálcio e magnésio. Podem ser assintomáticos ou apresentar sintomatologia variável.

A imagem radiográfica referente ao antrolito se caracteriza por um grau de radiopacidade ou hiperdensidade variável, às vezes de densidade mista, estando diretamente relacionada ao grau de deposição de sais minerais. Apresenta forma e tamanho diversos, com limites definidos (Fig. 6.19).

Imaginologia | 83

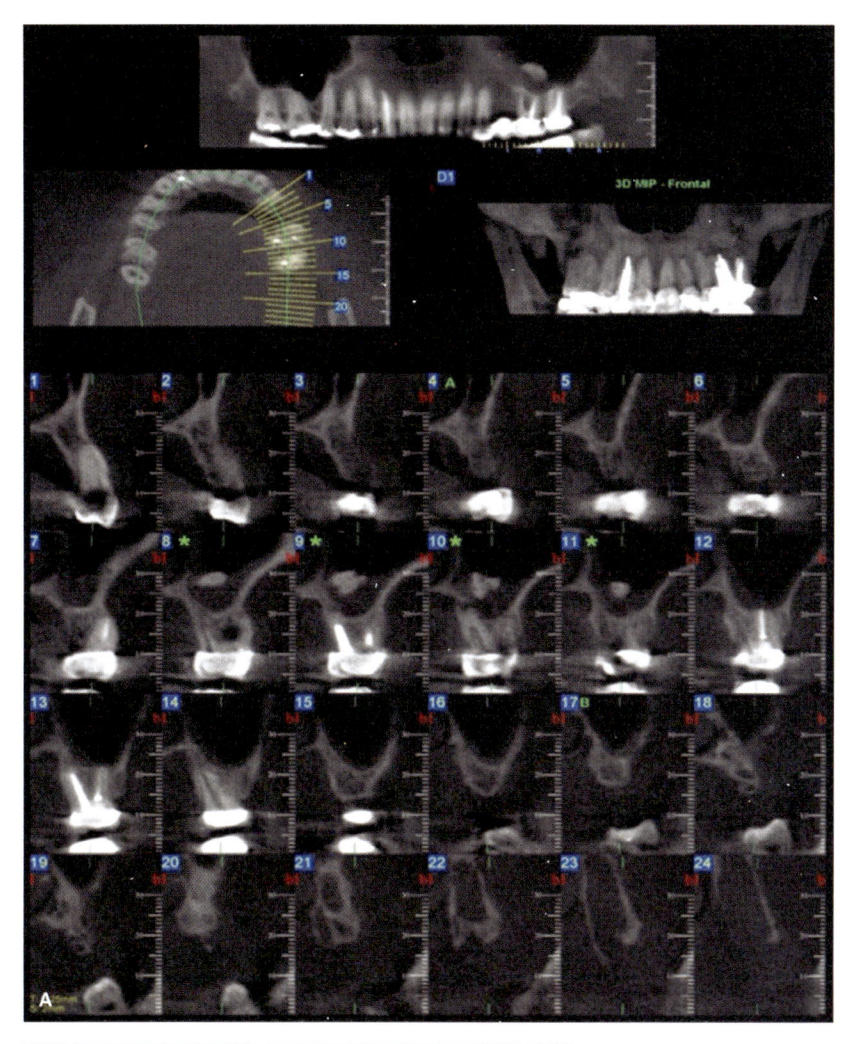

LEMBRETE

A interpretação radiográfica dos seios maxilares pelos recursos imaginológicos, associada a outros exames complementares, oferece subsídios à avaliação clínica. Assim, a equipe multiprofissional pode atuar de forma criteriosa, planejada e segura no complexo maxilofacial, particularmente nas intervenções nos seios maxilares.

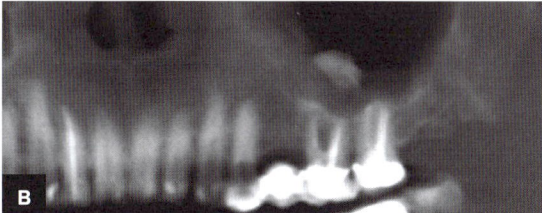

Figura 6.19 – (A e B) Presença de uma imagem hiperdensa, de limites definidos, compatível com antrolito no interior do seio maxilar, no lado esquerdo. Protocolo por meio de TC.

7

Imagem digital

ALESSANDRA COUTINHO DI MATTEO
ROBERTO HEITZMANN RODRIGUES PINTO
MARLENE FENYO-PEREIRA

Hoje existem dois termos que fazem parte do cotidiano do cirurgião-dentista: "informática" e "digital". Esses termos também foram inseridos no campo do diagnóstico por imagem.

Imagem digital é a decomposição da imagem convencional em uma matriz de pontos de imagem, transformada em uma função numérica – os dígitos binários (*binary digit*) – e traduzida em imagens pelo computador. Os dígitos binários, conhecidos como *bits*, usam os valores 0 e 1 para formar uma imagem (Fig. 7.1).

Uma imagem digital é formada por minúsculos quadrados, chamados *pixels* (*picture element*) (Fig. 7.2), os quais são definidos pelos *bits* com valor 0 ou 1. A matriz da imagem é formada por *pixels* dispostos em fileiras e colunas. Cada *pixel* tem uma posição específica na distribuição de fileiras e colunas, que identifica a sua localização na matriz.

Os *pixels* são responsáveis pela resolução espacial, que se refere à distribuição dos *pixels* na matriz. Portanto, a resolução espacial é

OBJETIVOS DE APRENDIZAGEM:

- Conhecer os principais conceitos relacionados às imagens digitais
- Identificar os diferentes tipos de sensores utilizados para a obtenção de tais imagens
- Conhecer os recursos de manipulação da imagem digital, os quais ajudam na sua interpretação
- Compreender as vantagens e desvantagens das imagens digitais em relação às imagens convencionais

Figura 7.1 –
8 *Bits* = Unidade de informação

Figura 7.2 – Pixel = menor unidade de informação da imagem.

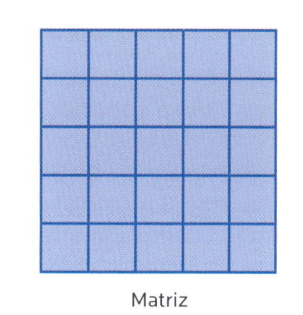

Matriz

Informática

"Informática" = "informação" + "automática". Segundo Dreyfus[1] é "[...] a ciência que se ocupa do tratamento racional, mediante máquinas automáticas, da informação tomada como suporte de conhecimentos e comunicação nos domínios técnico, econômico e social [...]". Ou seja, a informática está presente em todos os campos de atuação.

resultante do tamanho e do número de *pixels* presentes na matriz. Quanto menor o tamanho e maior o número de *pixels* na matriz, melhor a resolução espacial.

A unidade utilizada para exprimir a resolução espacial é "pares de linha por milímetro": quanto maior o número de pares de linha, melhor a resolução (Fig. 7.3).

A diferença de densidade nas imagens radiográficas digitais define a resolução de contraste, responsável pela determinação do tom de cinza em cada *pixel* (Fig. 7.4).

Quando há a incidência dos raios X, a absorção pelo *pixel* gera uma voltagem. A voltagem depende da quantidade de raios X absorvida pelo *pixel*, e isso determina o tom de cinza correspondente a cada *pixel*. Esse processo é chamado de **quantização**, no qual o *pixel* recebe um valor numérico correspondente à quantidade de raios X absorvida.

Existem 256 diferentes possibilidades de tons de cinza, que vão do valor 0, correspondente ao mais radiolúcido, ao valor 255, o mais radiopaco.

Para obter as imagens radiográficas digitais, são necessárias superfícies receptoras para a geração das imagens. Esses receptores são chamados de sensores, os quais estão disponíveis em diferentes tipos, descritos a seguir.

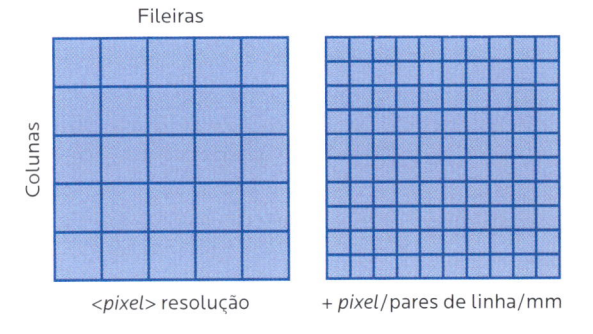

Figura 7.3 – <pixel> resolução + pixel/pares de linha/mm > resolução espacial.

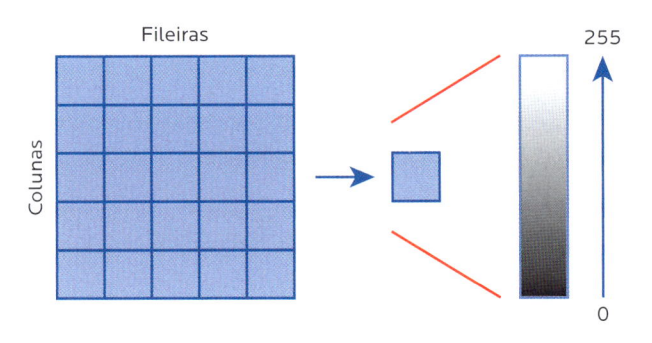

Figura 7.4 – Resolução de contraste, também chamada de densidade óptica.

TIPOS DE SENSORES

SENSORES DIGITAIS DE ESTADO SÓLIDO

Os sensores digitais de estado sólido recebem os fótons de raios X e transmitem a informação para o computador, geralmente por meio de um cabo. Apresentam-se em diferentes modelos, como CCD (*charge coupled device*, ou dispositivo de carga acoplada); CMOS (*complementary metal oxide semicondutor*, ou semicondutores de óxido de metal complementares) (Fig. 7.5), sensores que se utilizam de cabos conectados com o computador; também existem os sistemas cuja transmissão para o computador é sem fio (*wireless*) (Fig. 7.6).

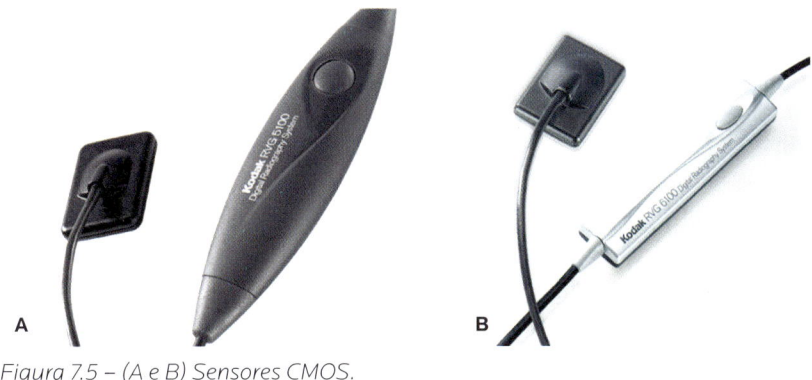

Figura 7.5 – (A e B) Sensores CMOS.
Fonte: Carestream Dental.[2]

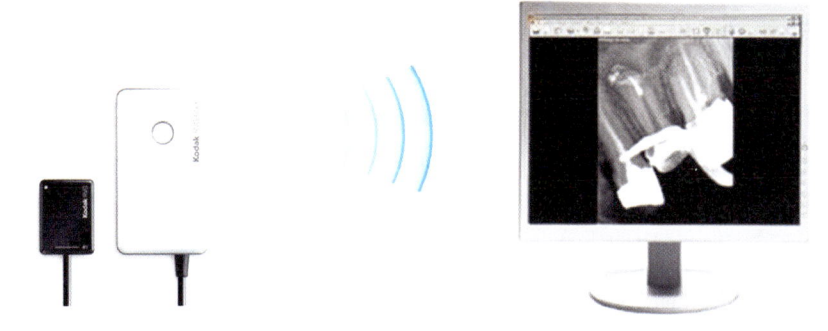

Figura 7.6 – Sistema wireless – Nota-se que existe o cabo no sensor, mas este cabo não vai até o computador, pois a transmissão é sem fio.
Fonte: Carestream Dental.[2]

SENSORES CCD

Estes sensores contêm cristais de silício no seu interior, dispostos em fileiras e colunas como *pixels* de uma matriz de imagem, unidos por ligações covalentes que são quebradas quando expostas à radiação, gerando pares de elétrons ionizados. Nessa condição, os elétrons são atraídos para o potencial mais positivo, criando uma **vacância de carga**.

Cada vacância corresponde a um *pixel*. A carga de cada *pixel* é transferida para o *pixel* vizinho, sequencialmente, até o final de sua linha. Quando termina a linha correspondente, a carga é transferida para um amplificador de leitura e transmitida para um conversor analógico-digital (CAD), localizado no interior ou conectado ao computador. Esse processo é chamado acoplamento de carga, o que justifica o nome desse tipo de sensor.

Uma vez processada pelo CAD, a voltagem de cada *pixel* é calculada e transformada em valor numérico, que será convertido no tom de cinza correspondente.

Compondo ainda esses sensores, sobre a matriz de silício há uma camada denominada placa fluoroscópica ou cintiladora, composta de oxibrometo de gadolíneo ou iodeto de césio, que funciona de forma semelhante aos ecrans intensificadores. Os raios X, ao incidirem sobre a camada cintiladora, são convertidos em luz, e é a luz que vai interagir com os cristais de silício por efeito fotoelétrico e criar a carga para cada *pixel*, formando uma imagem latente (Fig. 7.7). A transformação dos raios X em luz resulta na vantagem de diminuir a dose de exposição ao paciente, e também é um meio de aumentar a vida útil do sensor, pois a ação direta dos raios X o deteriora progressivamente.

Outro componente é a fibra óptica, que funciona como um filtro que barra o excedente de raios X mantido e permite só a passagem de luz, preservando dessa forma o sensor. Isso tudo está contido em pequenas caixas plásticas, que caracterizam o aspecto físico.

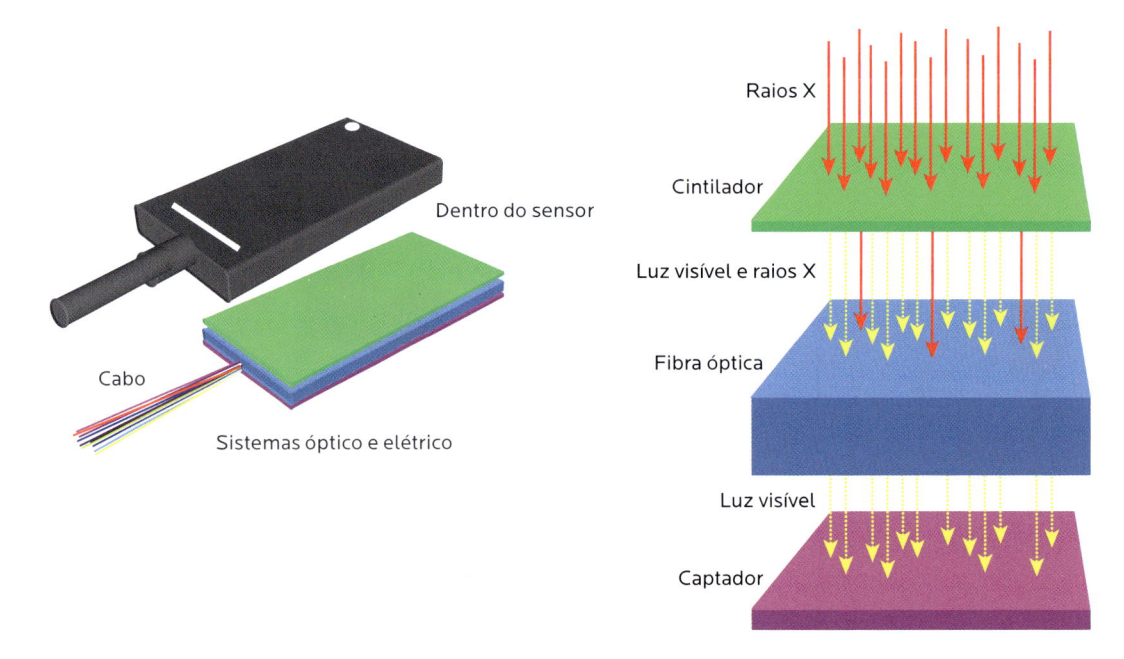

Figura 7.7 – Esquema do trajeto dos raios X e sensibilização do captador.

SENSORES CMOS

São semelhantes aos sensores tipo CCD; a principal diferença entre eles está na arquitetura do *chip*. No CMOS, a maioria dos componentes eletrônicos que controlam a conversão de fóton em sinal eletrônico está dentro do próprio *chip*. Isso simplifica o processo de fabricação e reduz o custo de produção.

As principais características dos sensores CMOS são:

- baixo poder operatório, o que significa que requer baixo consumo de energia (5 a 10 vezes menor que o CCD);
- processo de fabricação simples (o CCD requer um sistema de fabricação especial);
- integração das funções de processamento analógico-digital *on* no próprio *chip*.

No sistema CMOS, cada *pixel* é independente, ou seja, tem seu próprio transistor e não está vinculado ao seu vizinho. Dessa forma, ao incidirem os raios X, há a geração da carga no interior do *pixel*, proporcionalmente à quantidade de energia dos raios X absorvida.

A carga é transferida separadamente a cada transistor. Depois, sofre um processo semelhante ao que ocorre no sistema CCD, para a imagem ser disponibilizada pelo computador (Fig. 7.8).

Em geral, o CMOS apresenta um processo mais simples do que o CCD. Por isso, existe uma tendência de os sensores digitais de estado sólido, antes todos CCD, atualmente estarem passando a utilizar a tecnologia CMOS.

As desvantagens dos sensores CMOS são a presença do cabo conector, que dificulta o posicionamento, e o tamanho da área ativa, que é menor do que a de um filme radiográfico convencional, limitando a área a ser examinada. Para compensar essa limitação, alguns fabricantes passaram a oferecer diferentes tamanhos de sensores (Fig. 7.9). No entanto, apesar de isso resolver o problema da área abrangida, algumas vezes torna-se um fator dificultador, pois suas dimensões aumentadas podem atrapalhar o posicionamento.

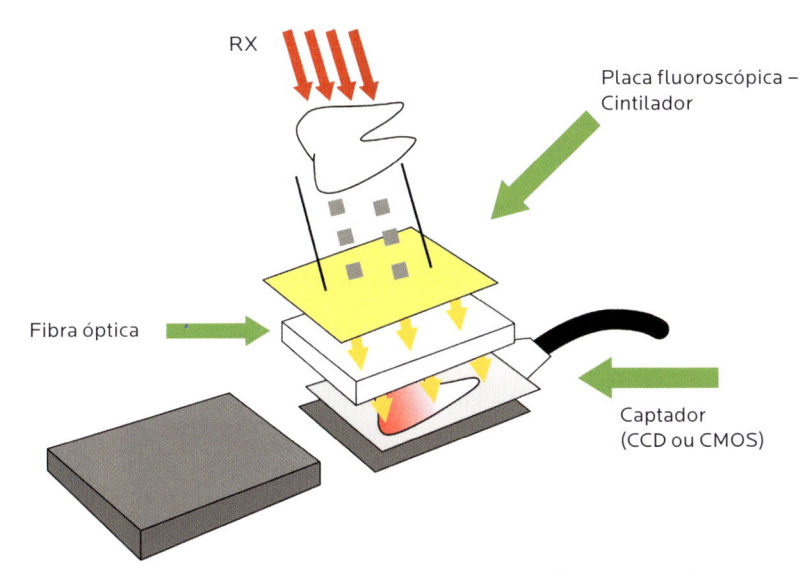

Figura 7.8 – Esquema demonstrando o caminho para a formação da imagem digital no sensor.

Figura 7.9 – Diferentes tamanhos de sensores.

SENSORES WIRELESS

São sensores que não utilizam cabos. Funcionam por meio de ondas de rádio, que transmitem as informações capturadas da boca do paciente até uma base conectada ao computador, que se encontra sobre uma superfície próxima ao paciente. Por não utilizar cabos conectores, facilita o posicionamento no interior da cavidade bucal, mas tem a desvantagem de ser muito sensível às interferências, uma vez que funciona por meio de ondas de radiofrequência (Fig. 7.10).

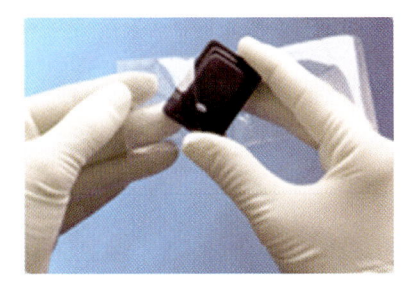

Figura 7.10 – Sensor wireless.

PLACAS DE FÓSFORO FOTOESTIMULÁVEIS (PSP)

São sensores sem cabo, formados por placas revestidas com sais de fósforo compostos por flúor haleto de bário (Figs. 7.11 a 7.13).

Figura 7.11 – Sistema digital de placa de fósforo com diferentes tamanhos de sensores, identificadora de sensores e leitora das PSPs.

Fonte: Carestream Dental.[2]

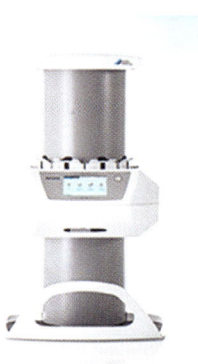

Figura 7.12 – Sistemas digitais de placa de fósforo com diferentes tamanhos de sensores e diferentes leitoras das PSPs intraorais e extraorais.

Fonte: Durr Dental.[3]

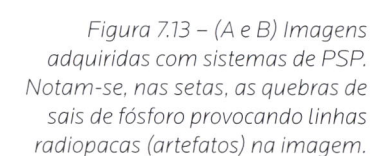

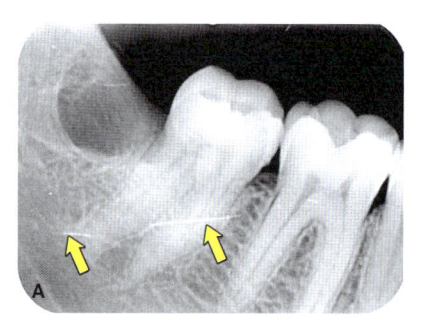

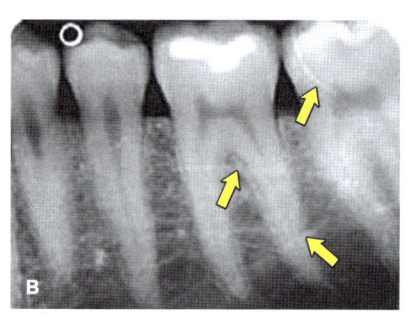

Figura 7.13 – (A e B) Imagens adquiridas com sistemas de PSP. Notam-se, nas setas, as quebras de sais de fósforo provocando linhas radiopacas (artefatos) na imagem.

A obtenção da imagem por este meio é conseguida em duas etapas. Primeiramente, ao incidirem os raios X, a camada de fósforo armazena a energia, que é liberada sob a forma de luz (fosforescência).

Em seguida, a placa deve ser introduzida em uma leitora, que vai ser estimulada por outra luz com comprimento de onda diferente. Com isso, pode-se diferenciar uma da outra, de forma que a fosforescência possa ser quantificada, estabelecendo a quantidade de raios X absorvida pelo objeto. A luz é detectada e convertida em um sinal elétrico (voltagem), e este sinal é transmitido para o CAD. Daí em diante, sofre um processo semelhante ao já descrito anteriormente para os sensores de estado sólido. Depois do processamento da imagem pela leitora, a imagem da placa se apaga, deixando o sensor pronto para novo uso.

Os sensores PSP têm a desvantagem de serem muito sensíveis a danos à sua superfície. Qualquer ação abrasiva remove os grãos dos sais de fósforo, danificando a placa e gerando artefatos na imagem. As placas também são sensíveis à luz; portanto, após a aquisição da imagem, a placa deve ser protegida da luz até a colocação na leitora (Fig. 7.14).

Existe um sistema que identifica a placa com o nome do paciente, antes de adquirir a imagem, evitando que as imagens sejam trocadas durante a leitura.

Para o sucesso da imagem, é importante lembrar-se do caminho da formação da imagem, descrito na Fig. 7.14.

> **ATENÇÃO**
>
> Cuidado com o uso de aparelhos de raios X com os sistemas de captação de imagem digital. Embora aparentemente os aparelhos sejam compatíveis, é indicado o uso de aparelhos com menos de 10 anos de utilização e com 70kVp. Antes de adquirir um sistema digital, teste com seu aparelho de raios X.

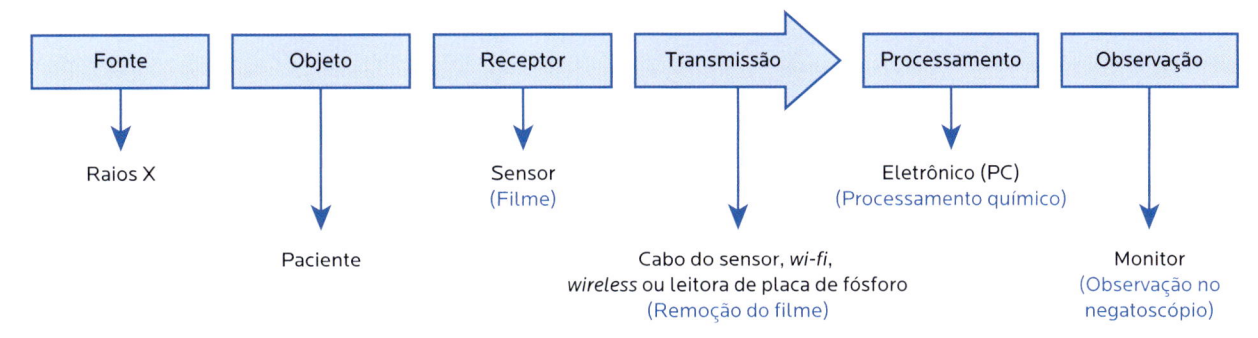

Fonte → Raios X
Objeto → Paciente
Receptor → Sensor (Filme)
Transmissão → Cabo do sensor, *wi-fi*, *wireless* ou leitora de placa de fósforo (Remoção do filme)
Processamento → Eletrônico (PC) (Processamento químico)
Observação → Monitor (Observação no negatoscópio)

Figura 7.14 – Esquema do caminho da formação da imagem. Todos os passos são importantes. Em preto, o caminho da formação da imagem digital; em azul, a partir do captador, os passos da aquisição convencional.

RECURSOS DA IMAGEM DIGITAL

REALCE DA IMAGEM

As imagens digitais permitem manipulação, de forma a alterar brilho e contraste, modificando-se os números atribuídos aos *pixels*. Isso resulta na mudança do tom de cinza, permitindo a melhor observação de determinadas regiões de interesse. Esse processo, assim como pode auxiliar na interpretação da imagem, tornando-a mais "agradável", pode também prejudicar, provocando a perda de informações (Fig. 7.15).

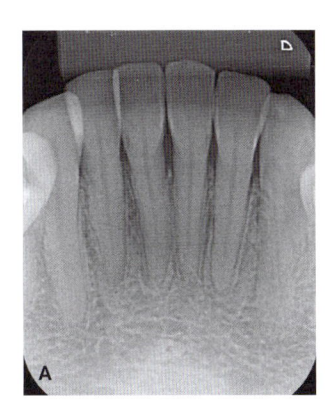

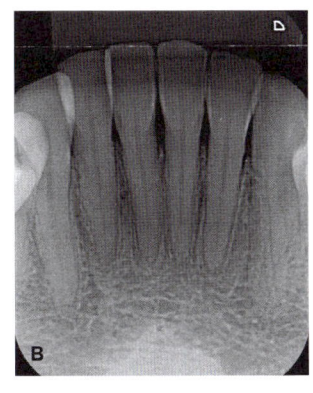

Figura 7.15 – Radiografias periapicais de incisivos inferiores obtidas por sistema PSP (Durr Dental): (A) contraste inicial; (B) aumento do contraste da imagem.

FILTROS DE NITIDEZ E SUAVIZAÇÃO

ATENÇÃO

Cuidado. O filtro de nitidez pode gerar artefato logo abaixo de estruturas metálicas. Portanto, em caso de dúvida na interpretação, é importante retirar e recolocar o filtro.

Para este recurso, o *software* faz uma espécie de cálculo dos valores de tons de cinza que estão mais presentes na imagem, calcula uma "média" e remove os tons excedentes, como que "limpando" a imagem, tornando-a mais definida. Na realidade, com essa ferramenta há a eliminação dos ruídos de alta e baixa frequência (Fig. 7.16). O filtro de nitidez também é conhecido como *sharp* ou *enhance*.

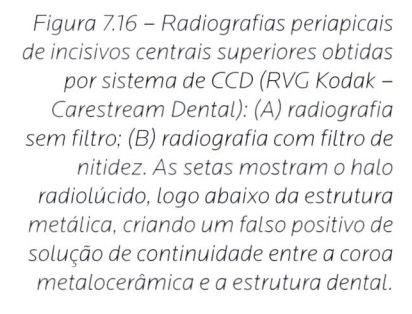

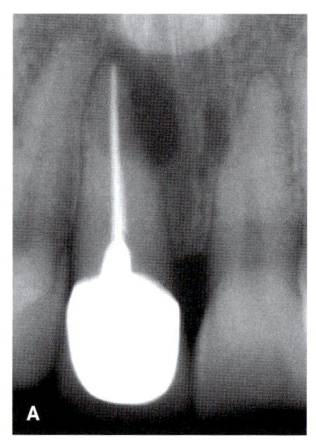

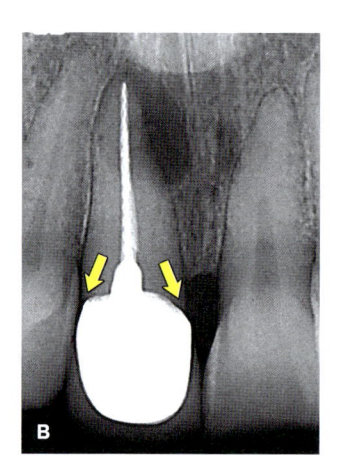

Figura 7.16 – Radiografias periapicais de incisivos centrais superiores obtidas por sistema de CCD (RVG Kodak – Carestream Dental): (A) radiografia sem filtro; (B) radiografia com filtro de nitidez. As setas mostram o halo radiolúcido, logo abaixo da estrutura metálica, criando um falso positivo de solução de continuidade entre a coroa metalocerâmica e a estrutura dental.

INVERSÃO DE CONTRASTE (VIDEOINVERSÃO)

SAIBA MAIS

A radiografia é uma imagem positiva de uma estrutura, pois o fundo é preto e a imagem é formada em tons de cinza e branco. Com a videoinversão, torna-se negativa, pois o fundo é branco.

A inversão de contraste transforma uma imagem radiográfica positiva em uma imagem radiográfica negativa. Em alguns casos, esse recurso evidencia melhor alguma alteração nas estruturas do dente (Fig. 7.17). Este filtro é interessante para auxiliar na localização de canais radiculares, na verificação de adaptação de restaurações e/ou coroas protéticas sobre dentes e elementos protéticos sobre implantes, pois funciona similarmente à transiluminação.

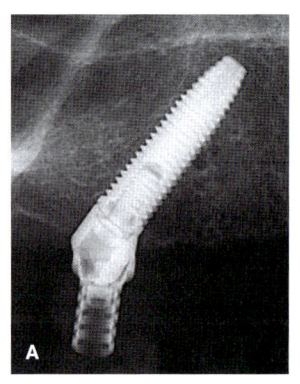

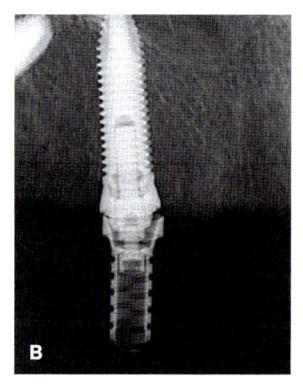

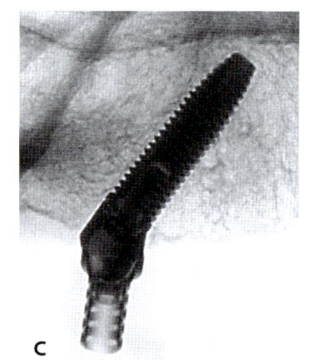

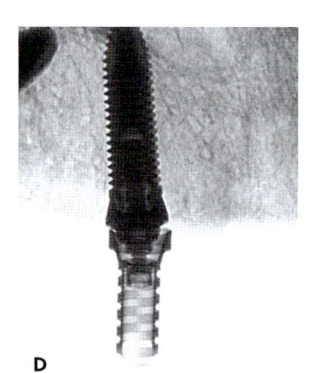

Figura 7.17 – Radiografias periapicais de implantes superiores direito obtidas por sistema digital com sensores de CMOS (RVG Kodak 6100 – Carestream Dental). (A) Radiografia com filtro de nitidez positiva. (C) A mesma radiografia de A, mas com a videoinversão; note-se a adaptação do elemento protético ao implante. (B) Radiografia com filtro de nitidez e positiva. (D) A mesma radiografia de B, mas com a videoinversão; note-se a falta de adaptação do elemento protético ao implante.

PSEUDOCOLORIZAÇÃO

A pseudocolorização é a determinação de diferentes cores para diferentes tons de cinza da imagem (Fig. 7.18). Esse recurso torna a imagem atraente, mas não traz grandes vantagens para finalidade clínica. Não é um recurso em que se possa confiar efetivamente.

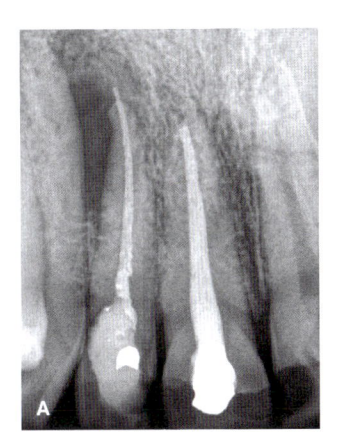

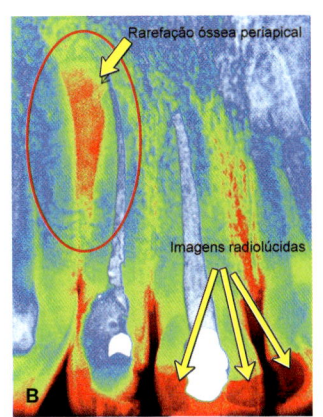

Figura 7.18 – Radiografias periapicais de incisivo lateral e canino superiores, no lado direito, obtidas por sistema de CCD (RVG Kodak – Carestream Dental). (A) Radiografia somente com filtro de nitidez. (B) Radiografia com filtro de nitidez e pseudocolorização. As setas mostram imagens radiolúcidas e rarefação óssea periapical do tipo circunscrita, representadas pela cor vermelha (menor densidade).

COR ÂMBAR

A aplicação da cor âmbar (amarelo) na imagem, segundo especialistas em oftalmologia, facilita muito a observação de detalhes da imagem. É uma ferramenta amplamente utilizada em diferentes equipamentos para diagnóstico por imagem, como na TC ou na RM (Fig. 7.19).

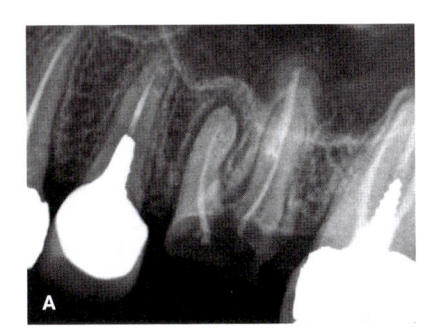

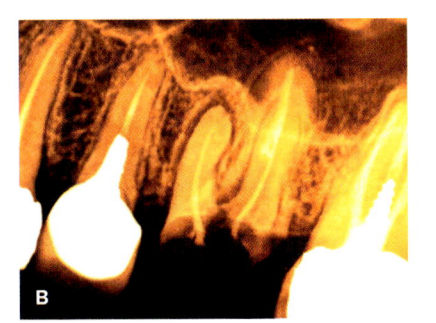

Figura 7.19 – Radiografias periapicais do dente 26. Observa-se rarefação óssea periapical do tipo difusa na região da raiz mesiovestibular e na região de furca. (A) Radiografia apenas com o filtro de nitidez. (B) Radiografia com filtro âmbar; note-se o realce da lesão.

ALTO E BAIXO RELEVO

Esse recurso permite a visualização das imagens radiográficas em relevo. Não existem evidências de que tal recurso traga grande contribuição para a melhoria da observação das imagens, apenas contribui em algumas situações clínicas, como em casos de defeitos ósseos (Fig. 7.20).

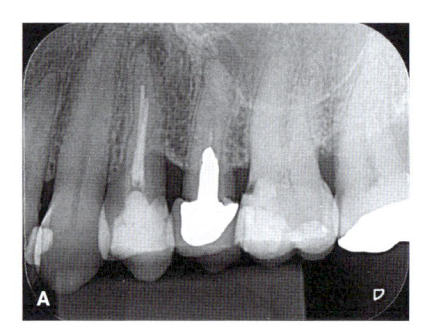

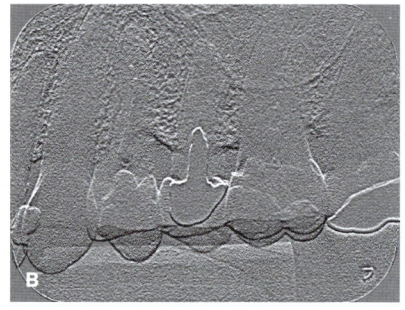

Figura 7.20 – Radiografias periapicais de pré-molares superiores, no lado esquerdo, obtidas pelo sistema PSP (Durr Dental). (A) Radiografia apenas com filtro de nitidez. (B) Radiografia com alto relevo; note-se a falta de adaptação da coroa nas faces mesial e distal do dente 25 e discreto excesso de restauração na face mesial do dente 26.

AMPLIAÇÃO DA IMAGEM

Este recurso oferece a possibilidade de diferentes aumentos, mas não se deve exagerar, pois, a partir de determinado momento, a imagem fica prejudicada. O *pixel* fica tão aumentado que pode ser observado na imagem, conferindo-lhe um aspecto quadriculado, em um fenômeno chamado pixelização (Fig. 7.21).

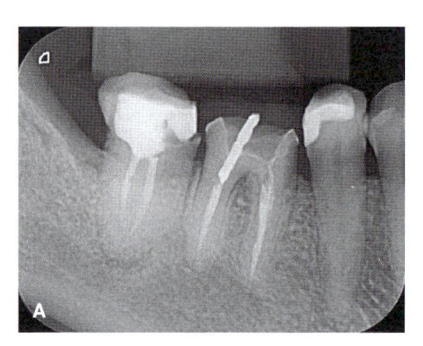

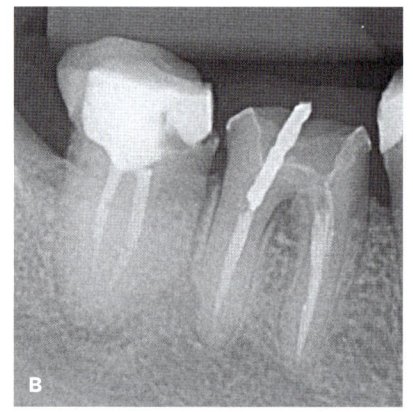

Figura 7.21 – Radiografia periapical de molares inferiores, no lado direito. (A) Radiografia apenas com filtro de nitidez. (B) Radiografia ampliada, onde se nota a granulação na imagem (pixelização).

HIGHLIGHT

Highlight é uma ferramenta com aspecto semelhante a uma lupa que pode ser deslocada ao longo da imagem, aumentando a sua "nitidez" por onde vai passando. É importante destacar que essa ferramenta não amplia a imagem, apenas faz o que seu nome implica: "aumento de brilho, de luz". É possível dizer que se parece com uma lanterna, que vai aumentando a iluminação nos pontos por onde passa (Fig. 7.22).

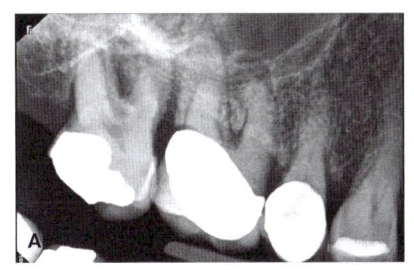

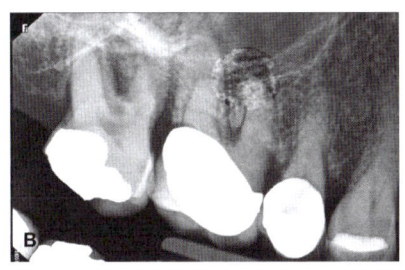

Figura 7.22 – Radiografias periapicais de molares superiores, no lado direito. Nota-se a rarefação óssea periapical do tipo circunscrita na raiz mesiovestibular e difusa nas demais raízes, e região de furca no dente 16. (A) Radiografia apenas com filtro de nitidez. (B) Radiografia com filtro de nitidez e highlight *no ápice radicular mesiovestibular do dente 16.*

MENSURAÇÃO

Os *softwares* de radiografia digital, em sua maioria, possuem uma ferramenta que permite medir as estruturas (Fig. 7.23). Geralmente, essas mensurações são lineares ou angulares, não permitindo mensuração em curva. É uma ferramenta muito utilizada em endodontia e implantodontia.

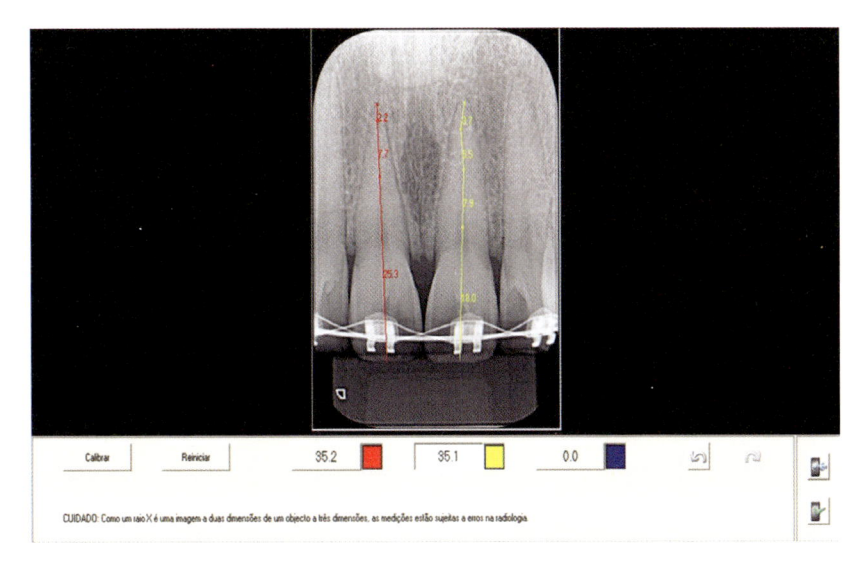

Figura 7.23 – Radiografia de incisivos centrais superiores com medidas lineares dos dentes 11 e 21.

VANTAGENS DAS RADIOGRAFIAS DIGITAIS

Redução da dose de exposição: O sistema digital requer menor dose de exposição aos raios X para sensibilizar os sensores. Porém, deve-se considerar que, em função do tamanho da área útil do sensor e da presença do cabo, há uma limitação de abrangência de regiões, como no caso da região de molares. Na maioria das vezes, não é possível incluir os três molares juntos na mesma captura. Nesses casos, deve-se fazer uma captura para cada molar. Só para essa área já são geradas, portanto, 12 radiografias, além das demais regiões. Com isso, há um incremento no número de exposições, o que na contabilização final não resultaria em uma redução tão expressiva do tempo de exposição.

Realce da imagem: Permite o ajuste da qualidade da imagem com as ferramentas que controlam brilho e contraste, para compensar problemas com tempo de exposição.

Otimização do tempo de trabalho: Inegavelmente há uma economia de tempo significativa nas condutas clínicas, pois, em questão de segundos, a imagem está disponível no monitor do computador, não sendo necessário aguardar o tempo de processamento químico do filme radiográfico para iniciar o procedimento clínico.

Transmissão via *modem*: Possibilita o envio das imagens eletronicamente, via *e-mail* ou por rede;

Facilidade de comunicação: Torna mais fácil mostrar para o paciente as alterações que existem em sua boca e explicar os procedimentos necessários. Com a transmissão via *modem*, podem-se trocar opiniões com outros colegas à distância, ambos com a imagem à sua frente e comunicando-se por telefone, por redes sociais ou pelos demais meios eletrônicos de comunicação.

256 tons de cinza: Tem-se a possibilidade de 256 diferentes tons de cinza na imagem, o que facilita a identificação de alterações de menor dimensão.

Arquivos de papel: Elimina a necessidade de manter arquivos de papel, que ocupam muito espaço nos consultórios. A ficha do paciente com as imagens radiográficas pode ser arquivada no computador.

Eliminação de químicos no processamento: Fica eliminado o uso dos químicos para o processamento dos filmes radiográficos. Atualmente, tornou-se um problema a dispensa desses químicos, sob o ponto de vista da preservação do meio ambiente.

Imagem do profissional: Contribui para melhorar a imagem do cirurgião-dentista diante dos pacientes, que se encantam com esse tipo de tecnologia. Assim, valoriza-se mais o profissional.

DESVANTAGENS DAS RADIOGRAFIAS DIGITAIS

Custos: Adquirir o equipamento e os acessórios necessários ao seu funcionamento ainda significa um certo investimento. Entretanto, o aumento da eficiência e a redução de custos operacionais (para filme radiográfico, papel, substâncias químicas, mão de obra, manutenção do processador e reparos) podem oferecer um retorno positivo do investimento após poucos anos.

Espessura do sensor e presença do cabo: A espessura do sensor e o cabo tornam o posicionamento mais difícil e propenso a erros, em comparação com o filme radiográfico (28% para sensores e 6% para os filmes radiográficos). Assim, são necessárias mais repetições. Existem os posicionadores para auxiliar o posicionamento.

Adaptação do profissional: Os profissionais precisam se familiarizar com todo o sistema e com os programas de manipulação da imagem. Para aqueles de gerações mais antigas, às vezes, é um pouco mais difícil se adaptar. Requer maior tempo de treino.

Fragilidade dos sensores: Os sensores são muito sensíveis, danificam-se com facilidade, e sua reposição tem um custo relevante.

Espaço físico: a instalação do equipamento, mais o computador e seus acessórios, requer certo espaço no consultório, o que pode dificultar a circulação do profissional no seu ambiente de trabalho.

8

Ressonância magnética

EMIKO SAITO ARITA
ARTHUR RODRIGUEZ GONZALES CORTES
CÉSAR ÂNGELO LASCALA

A ressonância magnética (RM) é uma técnica de diagnóstico por imagem que vem ganhando cada vez mais espaço nas pesquisas nacionais e internacionais em odontologia (Fig. 8.1). É um método tecnológico que, diferentemente da TC, não utiliza radiação ionizante e oferece excelentes graus de contraste entre tecidos moles. Portanto, contribui para o diagnóstico preciso de uma variedade de tecidos e lesões.

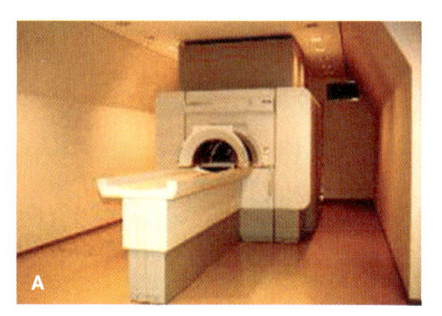

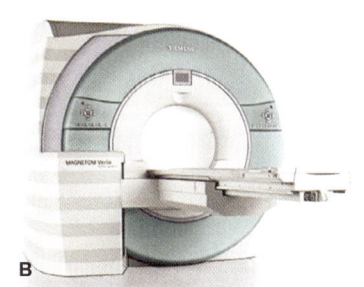

OBJETIVOS DE APRENDIZAGEM:

- Identificar os componentes dos aparelhos de ressonância magnética
- Compreender os princípios de aquisição de imagem por meio desta técnica
- Conhecer as características dos diferentes meios de contraste utilizados na ressonância magnética
- Conhecer as principais aplicações da técnica na odontologia

Figura 8.1 – Aparelhos de RM.

HISTÓRICO

- 1946: Estabelecimento das primeiras bases de espectroscopia por RM
- 1971: Observação do potencial da RM na identificação de tecidos, por haver diferenças sistemáticas nas propriedades de relaxação de tecidos normais, necrosados e tumorais
- 1973: Divulgação do primeiro método de geração de imagem bidimensional utilizando RM
- 1984: Realização do primeiro exame de ATM por meio de RM

COMPONENTES DE SISTEMA DE RM

Magneto principal

- Bobinas (antenas)
    - de homogeneidade
    - de gradiente
    - de radiofrequência (FR)
        1. transmissoras
        2. receptoras
- Sistema de resfriamento
- Sistema computacional e processadores de imagens

O magneto é o componente principal que produz o campo magnético (Figs. 8.2 e 8.3). É usado para produzir um campo magnético muito forte e uniforme para induzir magnetização tissular mensurável. Os magnetos podem ser:

- resistivos;
- permanentes;
- supercondutores.

Força magnética

Força com a qual um magneto atrai ou repele um metal.

Campo magnético (B)

Atua ao redor do magneto onde a força magnética é mensurável. Sua intensidade é medida em Tesla (T).

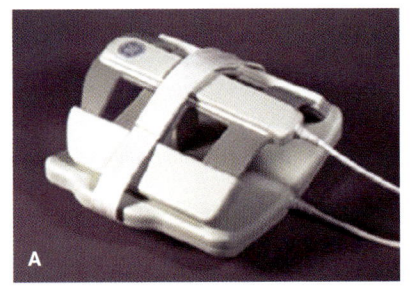

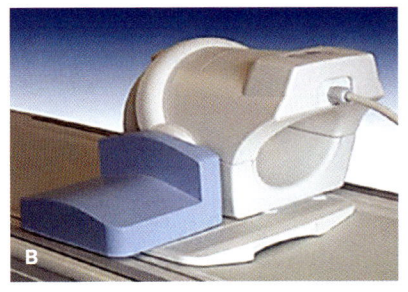

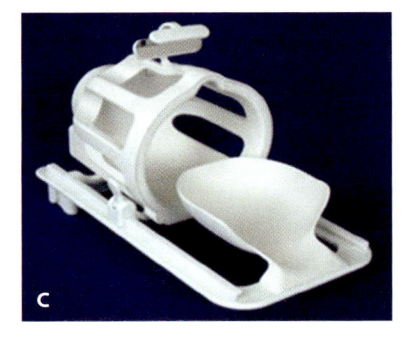

Figura 8.2 – Diferentes tipos de bobinas receptoras de superfície.

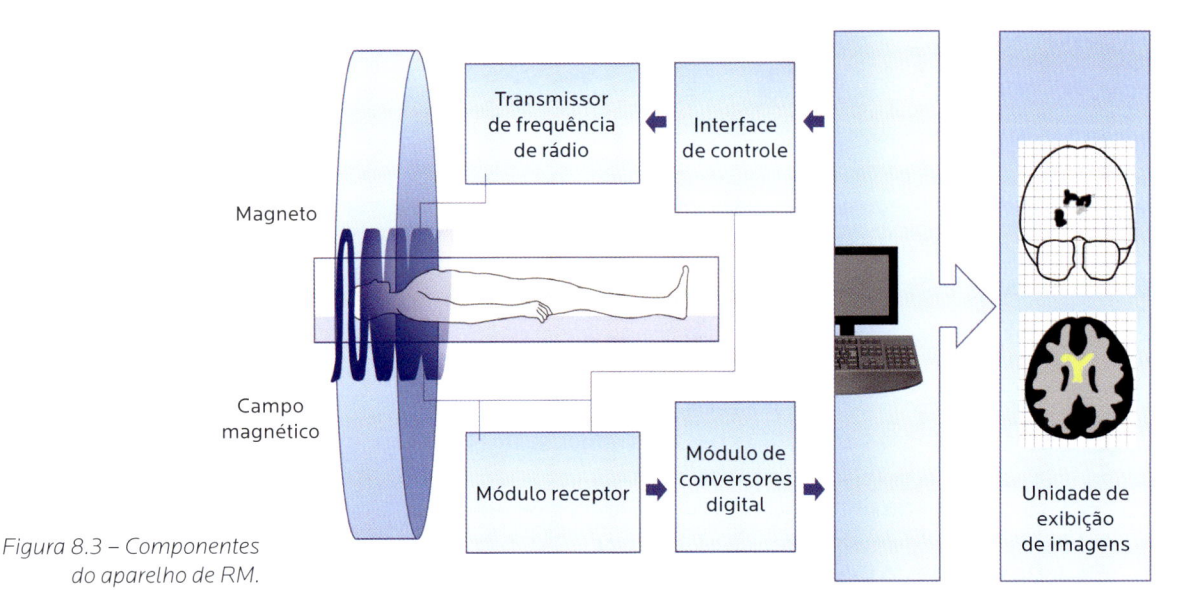

Figura 8.3 – Componentes do aparelho de RM.

Imaginologia

PRINCÍPIOS

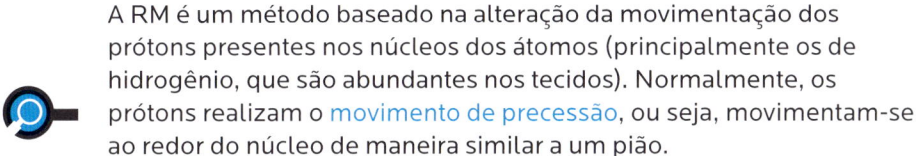

A RM é um método baseado na alteração da movimentação dos prótons presentes nos núcleos dos átomos (principalmente os de hidrogênio, que são abundantes nos tecidos). Normalmente, os prótons realizam o movimento de precessão, ou seja, movimentam-se ao redor do núcleo de maneira similar a um pião.

Na RM, ocorre a aplicação de um campo magnético que faz com que o movimento de precessão dos prótons passe a ocorrer paralelamente a este campo aplicado (Fig. 8.4). Esse evento é denominado momento magnético.

Com a obtenção do momento magnético, os prótons são expostos a ondas de rádio, gerando uma absorção de energia e tornando esses prótons excitados. Como resultado, os prótons passam a precessionar em um ângulo de 180 graus, ou seja, na direção oposta. Para tal evento ocorrer, é necessário que as ondas de rádio tenham a mesma frequência do movimento de precessão dos prótons, indicando, portanto, o processo de ressonância. Assim, se os pulsos das ondas não forem ressonantes com os prótons, o exame de RM falhará.

Ao término dos pulsos de radiofrequência, os prótons excitados tendem a voltar ao seu estado de equilíbrio. Esse processo é chamado relaxação, que, por sua vez, ocorre em tempos característicos, denominados tempos de relaxação T1 e T2. A relaxação que ocorre em seguida ao pulso que produz deflexão de 180 graus é chamada de T1, ao passo que a relaxação que ocorre logo após o pulso que produz deflexão de 90 graus é chamada de T2.

Na avaliação de líquidos, T1 e T2 tendem a ser quase iguais, embora o segundo nunca possa ser maior do que o primeiro. Já em sólidos, T2 tende a ser consideravelmente menor do que T1. Embora a indicação da utilização desses tempos dependa da necessidade clínica, é conhecido que T1 é mais empregado para análises anatômicas, e T2 é mais indicado para o acesso de infiltração tecidual de lesões ou metástases linfáticas. Contudo, a combinação das análises de T1 e T2 tem se mostrado como a melhor técnica para o diagnóstico por meio de imagens de RM.

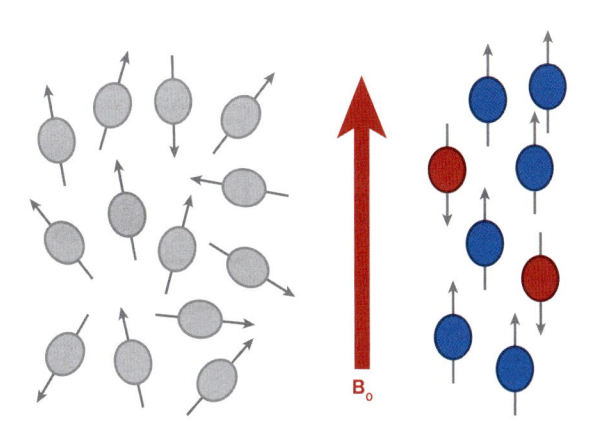

Figura 8.4 – Aspecto de campo magnético. Influência do campo magnético externo.

LEMBRETE

Intensidade do elemento da imagem:

- Magnetização longitudinal – T1
- Magnetização transversal – T2
- Densidade de prótons
- Fluxo

As imagens obtidas por esse processo são projetadas em um monitor, representando o exame de uma secção dos tecidos do paciente. A tonalidade das imagens é definida a partir da densidade de hidrogênio, modificado por T1 e T2, e do contraste tipo densidade de prótons.

A sequência de frequência seletiva de saturação de gordura (FSSG) é uma modalidade de supressão de sinal de gordura, sendo uma das vantagens de suprimir sinais do tecido adiposo subcutâneo. As imagens obtidas com FSSG ponderadas em T1 são efetivas para a avaliação de lesões na medula óssea, incluindo as da mandíbula.

O contraste e as várias sequências de imagens disponíveis na RM proporcionam maior sensibilidade à doença e permitem caracterização de lesões que facilitam a interpretação da imagem por meio de:

- localização;
- tempos de relaxamento T1 e T2;
- potencialização por contraste;
- familiaridade com o aspecto das anormalidades e separação de tecidos.

MEIOS DE CONTRASTE

Na RM, podem-se empregar substâncias de contraste com suscetibilidade magnética, as quais interferem no nível dos tempos de relaxação e melhoram a visibilidade de determinados tecidos.

Para essa finalidade, uma das substâncias mais utilizadas é o gadolínio. Essa substância contribui na alteração do tempo de relaxação T1 alterando seletivamente a intensidade do sinal de um processo patológico, criando campos magnéticos locais fortes (Fig. 8.5).

As anormalidades, como em tumores e líquidos, apresentam elevada intensidade nas imagens ponderadas em T2. O osso cortical, os planos das fáscias e os ligamentos exibem intensidade baixa em todos os tipos de sequências e auxiliam na identificação dos limites dos tecidos moles (Quadro 8.1 e Fig. 8.6).

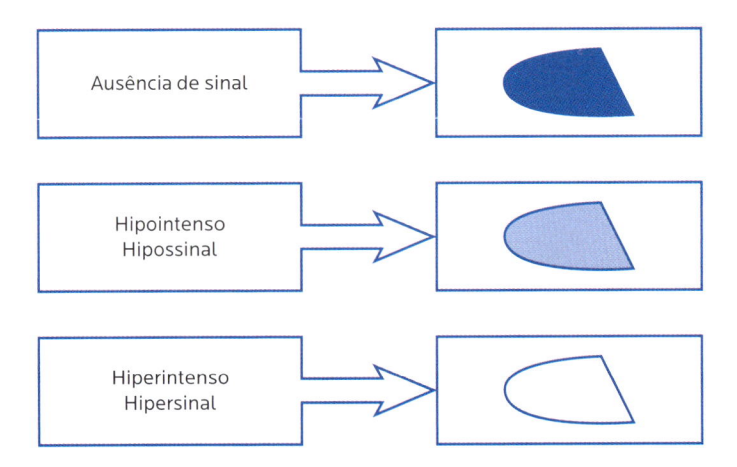

Figura 8.5 – Intensidade de sinal de RM.

QUADRO 8.1 – Característica das imagens dos componentes teciduais

Tecidos	Imagem ponderada em T1	Imagem ponderada em T2
Líquido	Hipossinal / Hipointenso	Hipersinal / Hiperintenso
Sólido	Iso/Hipossinal	Iso/Hipossinal
Adiposo	Hipersinal / Hiperintenso	Iso/Hipersinal
Sanguíneo	Hipersinal / Hiperintenso	Iso/Hipo/Hipersinal
Ar	Hipossinal / Hipointenso	Hipossinal / Hipointenso
Tecido ósseo metálico	Ausência de sinal	Ausência de sinal

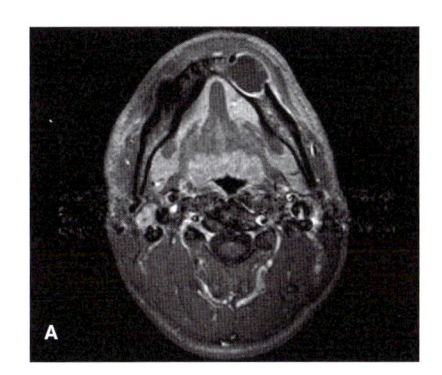

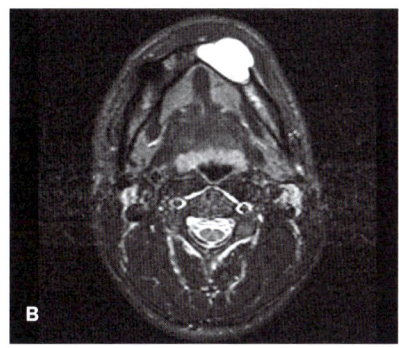

Figura 8.6 – Imagem ponderada em T1; imagem ponderada em T2.

IMAGENS DE ESPECTROSCOPIA

A espectroscopia por RM emprega os métodos de imagem tradicionais da RM com a capacidade de análise química dos tecidos, tornando-se um método não invasivo para o estudo de processos bioquímicos cerebrais, musculares e hepáticos. As principais aplicações clínicas da espectroscopia cerebral são:

- tumores;
- acidentes vasculares cerebrais;
- epilepsia;
- demências;
- esclerose múltipla;
- asfixia neonatal;
- infecções pelo HIV.

Entre os tumores malignos, por meio da curva dos metabólitos, consegue-se ter uma noção aproximada de sua composição química, o que facilita na identificação de seu grau histológico e, por conseguinte, auxilia no diagnóstico do tipo de tumor. Os compostos mais pesquisados são colina, creatina e o neurotransmissor do sistema nervoso: o N-acetilaspartato.

APLICAÇÕES NA ODONTOLOGIA

As principais aplicações de diagnóstico com RM descritas na literatura atual são o estudo de tumores benignos e malignos, a análise da ATM e o auxílio no diagnóstico de cirurgias orais.

DIAGNÓSTICO DE TUMORES

A RM vem sendo largamente empregada nas pesquisas atuais sobre o diagnóstico de tumores orais e maxilofaciais. Por meio da imagem, é possível obter a diferenciação de tecidos adjacentes, fator importante para o estudo do limite entre tecidos normais e patológicos em reconstruções multiplanares (Figs. 8.7 a 8.9).

A comparação entre a RM e outros métodos de diagnóstico, como a TC, tem sido alvo de diversos trabalhos atuais. Tais pesquisas vêm avaliando diferentes variáveis de diagnóstico, como extensão em tecidos moles e envolvimento ósseo. A imagem por RM é efetiva na

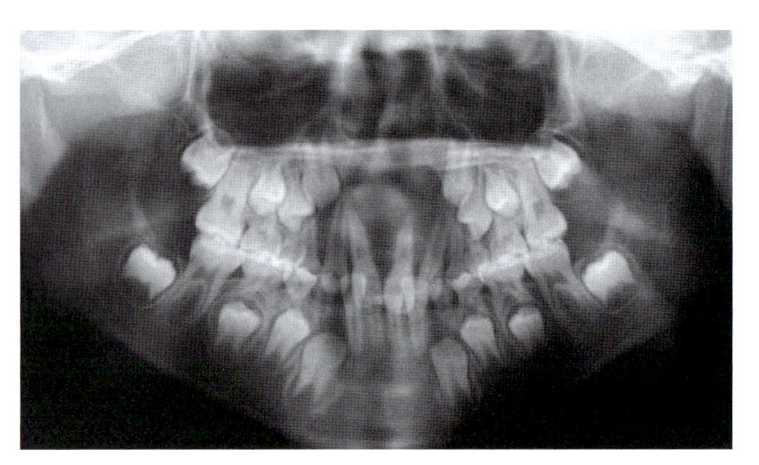

Figura 8.7 – Radiografia panorâmica com presença de imagem radiolúcida de aspecto cístico na região mediana da maxila.

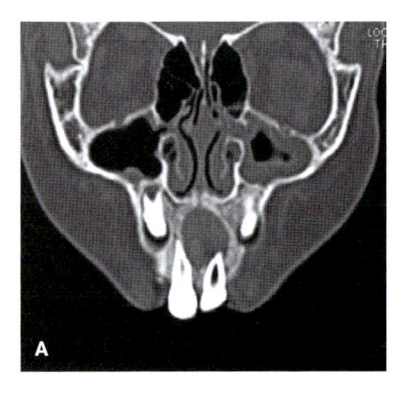

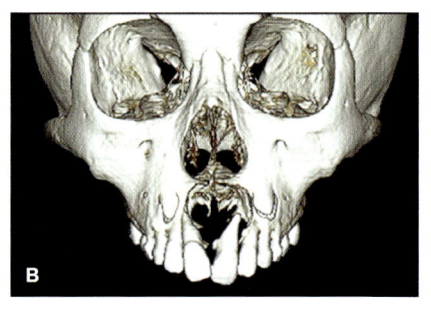

Figura 8.8 – Aspecto da lesão em TC no plano coronal e em protocolo volumétrico.

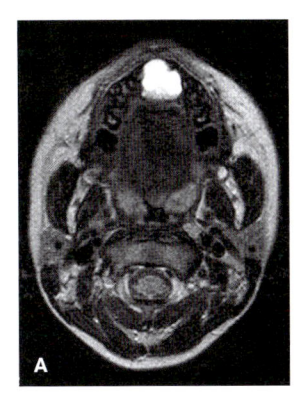

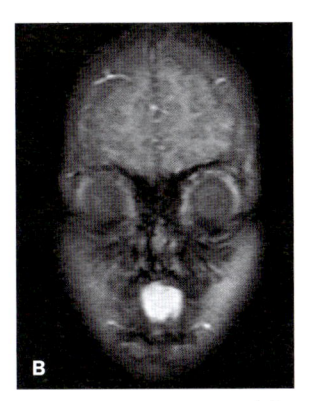

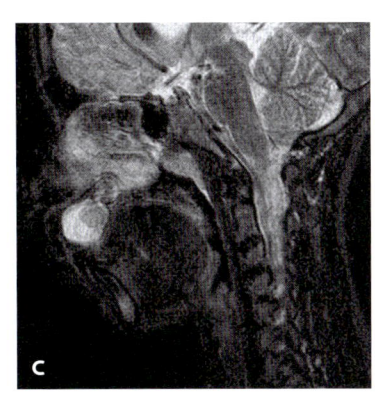

Figura 8.9 – Imagens ponderadas em T2: planos axial (A); coronal (B); sagital (C).

diferenciação entre tumores e cistos e na avaliação da infiltração de tecidos tumorais malignos nos tecidos moles circundantes.
Assim, para a detecção de lesões malignas, a RM tem se mostrado mais eficiente do que a TC.

Na avaliação de envolvimento ósseo, a RM tem sido considerada menos confiável do que a TC, conforme o relato principalmente de pesquisas sobre o diagnóstico de tumores benignos. A cortical óssea normal não emite sinal de RMN, aparecendo como hipossinal na imagem obtida por este método. Assim, tanto a interrupção dessa normal ausência de sinal da cortical como o aumento do sinal mostrando diferentes graus de cinza na imagem podem ser considerados indicativos de invasão cortical tumoral (Fig. 8.10).

Na avaliação de recidivas, a RM é superior à TC, uma vez que a primeira permite a diferenciação tecidual com base na composição dos prótons, podendo ser avaliada com diferentes graus de contraste nas imagens de diagnóstico.

Pesquisas atuais sobre RM têm apontado esta técnica como o método mais preciso e recomendado para o diagnóstico de tumores malignos de glândulas salivares menores, osteossarcoma e metástases de tumores. Além disso, a maioria desses trabalhos enfatiza o papel da RM no planejamento cirúrgico para eventuais ressecções desses tumores, indicando a importante relação entre o diagnóstico por tais imagens e o tratamento indicado para cada caso clínico (Figs. 8.11 e 8.12).

RESUMO

Técnica mais eficiente

- Detecção de lesões malignas: RM
- Avaliação de envolvimento ósseo: TC
- Avaliação de recidivas: RM
- Diagnóstico de tumores malignos de glândulas salivares menores, osteossarcoma e metástases de tumores: RM

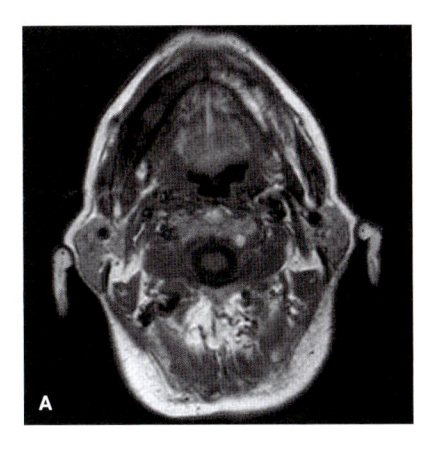

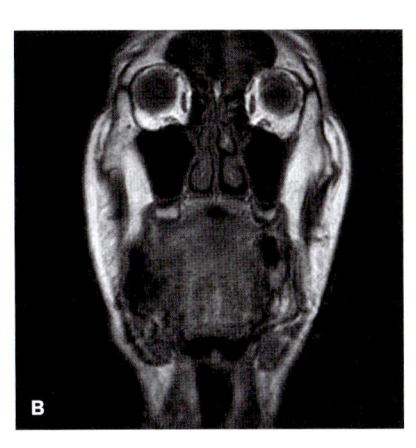

Figura 8.10 – Imagens em RM axial (A) e coronal (B) ponderadas em T1, sinais de baixa intensidade, osteomielite da mandíbula do lado direito.

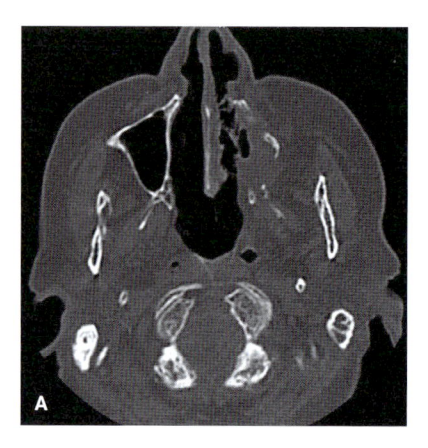

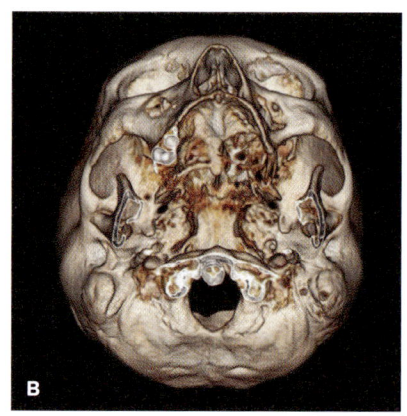

Figura 8.11 – Imagem em TC axial com aspecto de destruição óssea da maxila do lado esquerdo e volumétrica.

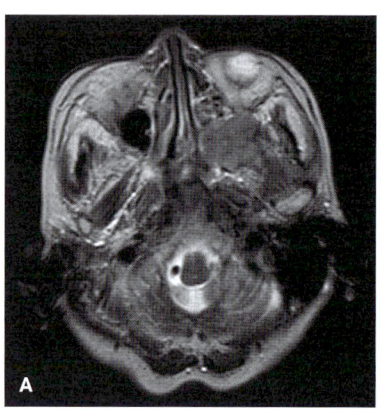

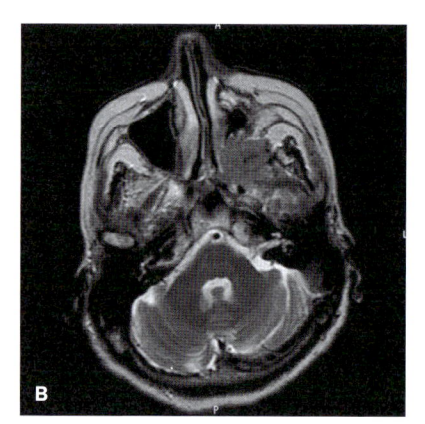

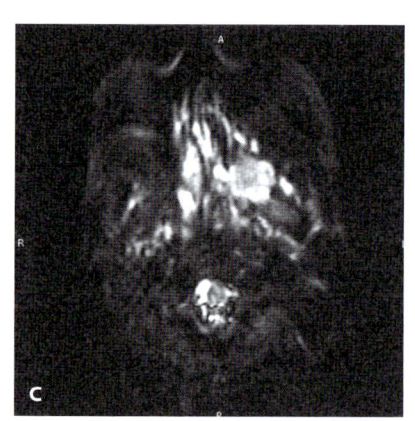

Figura 8.12 – Sequência de imagens de RM em plano axial de lesão tumoral do seio maxilar lado esquerdo.

DIAGNÓSTICO DA ARTICULAÇÃO TEMPOROMANDIBULAR (ATM)

Desde 1987, a RM tem sido o exame indicado para o diagnóstico por imagens da ATM. Foi observado que a diferenciação e a localização de estruturas anatômicas da ATM, como o processo condilar da mandíbula, a fossa da mandíbula, o disco articular e o tubérculo articular do osso temporal, assim como estruturas peridiscais, puderam ser descritas em detalhes por meio das imagens de RM.

A RM vem sendo utilizada para avaliação de desarranjos internos, como deslocamentos do disco articular e osteoartrites, incluindo a adesão fibrosa patológica do disco articular, conhecida como adesão intra-articular, e o desgaste dos componentes internos e ósseos da articulação.

A membrana sinovial e o fluido sinovial resultam em um papel importante na patogênese das disfunções temporomandibulares. Dados obtidos de estudos bioquímicos do fluido sinovial têm sugerido que as alterações degenerativas do disco articular ou superfície articular conduzem à liberação de agentes químicos, como prostaglandina E2, fator de necrose tumoral alfa (TNF-α) e degradação das proteoglicanas (Figs. 8.13 a 8.15).

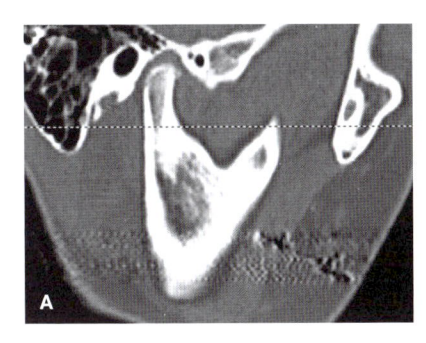

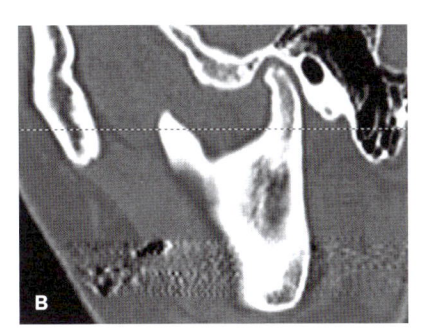

Figura 8.13 – Cortical externa irregular com esclerose e formação de osteófitos na cabeça da mandíbula dos lados direito e esquerdo. Imagem em TC.

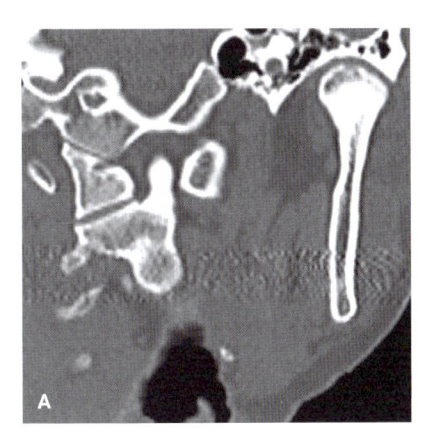

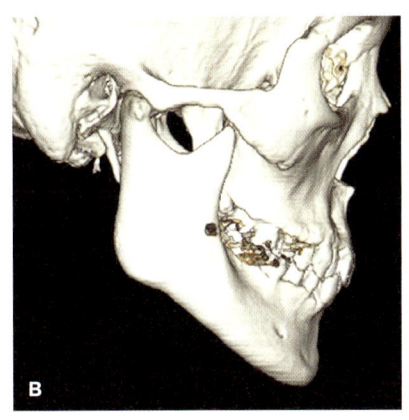

Figura 8.14 – Imagens em TC, em plano coronal e volumétrica, demonstrando cortical externa irregular com esclerose na cabeça da mandíbula.

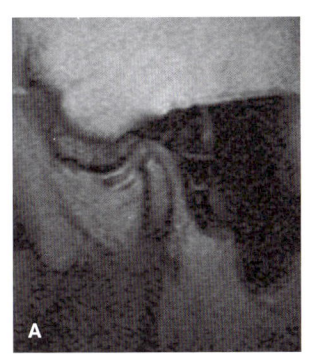

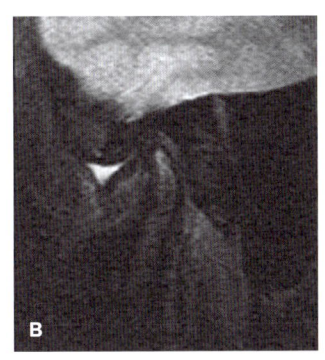

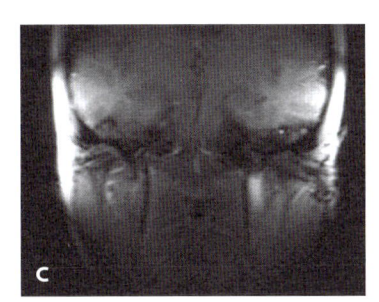

Figura 8.15 – Imagens em RM no plano sagital ponderadas em T1 com deslocamento anterior do disco; T2 com efusão articular e aspecto no plano coronal.

A efusão articular aparece, em imagens ponderadas em T2, como uma área de hipersinal no espaço articular, aspecto que pode refletir mudanças inflamatórias na ATM que acompanham artralgias.

DIAGNÓSTICO DE CIRURGIAS ORAIS E MAXILOFACIAIS

O recente emprego da RM no diagnóstico e no planejamento de cirurgias orais e maxilofaciais compõe outro tópico de elevada importância na literatura atual. As alterações anatômicas e as lesões que requerem tratamento com intervenções cirúrgicas ocorrem e se estendem tridimensionalmente, podendo acometer tecidos duros e moles da região oral e craniofacial.

Artigos recentes, do ano de 2012,[1,2] têm descrito a inovadora utilização da RM no acompanhamento transcirúrgico de intervenções de remoção de tumores orais. Este sistema permite que o cirurgião utilize as imagens providas por este método durante a cirurgia, podendo então comparar o curso do tratamento cirúrgico, que está sendo realizado, com o planejamento cirúrgico previamente realizado com as imagens de diagnóstico desses tumores.

Além desses importantes estudos, a RM também foi validada como método de diagnóstico para a instalação de implantes. Estudos sobre esse tipo de cirurgia concluíram que qualquer planejamento cirúrgico necessário para a colocação de implantes, incluindo mensurações ósseas tridimensionais, pode ser realizado com a RM.

ARTEFATOS NA IMAGEM

LEMBRETE

Os artefatos podem gerar falsas áreas escuras ou hipossinais. Assim, dificultam o diagnóstico, podendo levar a erros de interpretação. A perda de resolução costuma ser maior em T2 (Fig. 8.16).

Os aparelhos de campos de força elevados podem ocasionar formação de artefatos, causados por:

- sequência de pulsos em substâncias paramagnéticas e diamagnéticas;
- movimentação do paciente durante a aquisição da imagem;
- seleção inadequada dos parâmetros de aquisição de imagem;
- interação entre certos materiais e o campo magnético.

Os principais materiais geradores de artefato nas imagens são os seguintes:

- pinos intrarradiculares;
- bandas ortodônticas;
- próteses removíveis e fixas;
- arcos e barras palatinas;
- barras linguais.

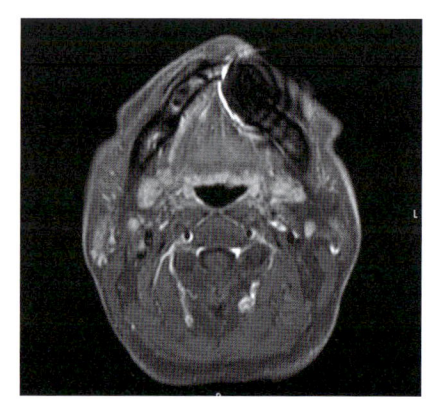

Figura 8.16 – Aspecto de artefato metálico.

CONTRAINDICAÇÕES

QUADRO 8.2 – **Contraindicações à RM**

CONTRAINDICAÇÕES ABSOLUTAS	CONTRAINDICAÇÕES RELATIVAS
Marcapassos cardíacos	Corpo estranho metálico próximo ao local de exame
Clipes vasculares cerebrais ferromagnéticos	Cooperação do paciente
Válvulas cardíacas	Injeção intravenosa de substância de contraste
Corpos estranhos metálicos	

9

Medicina nuclear aplicada na odontologia

ALESSANDRA COUTINHO DI MATTEO
HARRY DAVIDOWICZ
EDUARDO NÓBREGA PEREIRA LIMA

A medicina nuclear é a especialidade médica de diagnóstico por imagem que emprega radioisótopos com finalidade diagnóstica e terapêutica. Tem como princípio a produção de imagens originárias da distribuição biológica de substâncias de comportamento conhecido, sendo uma modalidade de imagem metabólica, refletindo as alterações de comportamento no nível celular.

Tais substâncias de comportamento biológico conhecido são chamadas de fármacos e, dependendo do tecido humano a ser avaliado, são associadas com os isótopos radioativos, originando os radiofármacos. Portanto, a técnica fundamenta-se na detecção da distribuição metabólica biológica de substâncias farmacológicas acopladas a isótopos radioativos, os radiofármacos.[1]

Os radioisótopos podem ser utilizados como marcadores; por serem química, física e fisiologicamente bem tolerados, promovem um nível não patológico de radiação. O organismo não consegue distinguir substâncias marcadas de não marcadas, fato plenamente perceptível pelos aparelhos determinados a essa função.

A cintilografia consiste na captação de raios gama, emitidos por marcador radioativo associado a um fármaco, por meio de uma câmara especial (câmara gama). Esse radiofármaco, injetado previamente no paciente por via endovenosa, acumula-se em maior quantidade nas regiões cujo metabolismo se apresenta alterado e com afinidade pelo fármaco utilizado.[2]

O mapeamento ósseo com radionuclídeos tem sido usado desde a década de 1950, quando o radioisótopo estrôncio-85 (^{85}Sr) tornou-se amplamente disponível. Porém, a dose de radiação associada era muito alta, restringindo seu uso a pacientes altamente suspeitos de malignidade.[3]

OBJETIVOS DE APRENDIZAGEM:

- Compreender os princípios de obtenção da imagem nas técnicas de medicina nuclear
- Conhecer os principais radiofármacos utilizados na medicina nuclear aplicada à odontologia
- Conhecer as indicações e os processos, em odontologia, das técnicas de cintilografia, SPECT, SPECT/TC, PET e PET/TC

Em 1971, foi introduzido o complexo de tecnécio -99 metaestável (^{99m}Tc) com fosfatos em suas diferentes formas químicas, que estão predominantemente presentes no osso, sendo útil como radiofármaco para avaliação osteometabólica. Devido a suas propriedades físicas, como baixa dose de radiação e meia-vida curta (tempo em que a dose de radiação emitida pelo radiofármaco cai pela metade, o que significa que os pacientes são expostos a uma dose mínima de radiação por um período bastante reduzido), tornou-se conveniente e segura sua utilização em pacientes suspeitos de alterações ósseas benignas ou malignas.[4]

A cintilografia óssea avalia o ritmo da atividade metabólica do esqueleto utilizando compostos difosfonatos radioativos, radiofármacos, cuja concentração no osso depende do fluxo sanguíneo (vascularização local), da permeabilidade vascular, da influência enzimática, da quantidade de componente mineral no osso e do colágeno imaturo, sendo proporcional ao ritmo de remodelação óssea.

LEMBRETE

A eliminação do radiofármaco pelo organismo é feita por via urinária e/ou fezes.

Os difosfonatos localizam-se, principalmente, na porção mineral do osso, nos sítios ativos de neoformação ou reabsorção, particularmente na interface mineral osteoide, nas áreas de remodelação. Ocorre uma absorção química do difosfonato na superfície da hidroxiapatita e incorporação na estrutura do cristal de hidroxiapatita. Então, o difosfonato leva o isótopo ^{99m}Tc para os locais de mineralização no osso, entrando ativamente no metabolismo ósseo e permitindo a avaliação de todo o esqueleto com uma pequena dose de radiação e meia-vida curta.

PRINCÍPIOS FÍSICOS DA OBTENÇÃO DA IMAGEM

O isótopo ^{99m}Tc é produzido em um gerador a partir do molibdênio (Mo) (Figs. 9.1 e 9.2). Após a obtenção do isótopo ^{99m}Tc, este é associado ao fármaco indicado para avaliação de um determinado órgão ou tecido; no caso do osso, esse fármaco é o metilenodifosfonato (MDP), formando o radiofármaco ^{99m}Tc-MDP (Fig. 9.3).

A **dose do radiofármaco** ^{99m}**Tc-MDP** a ser injetada é relativa ao peso do paciente, podendo variar entre os diferentes serviços de medicina

Figura 9.1 – (A e B) Gerador de ^{99m}Tc.

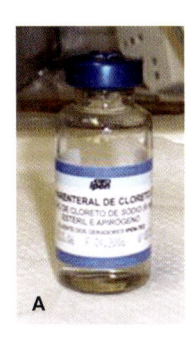

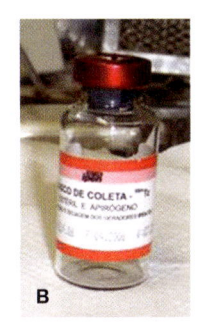

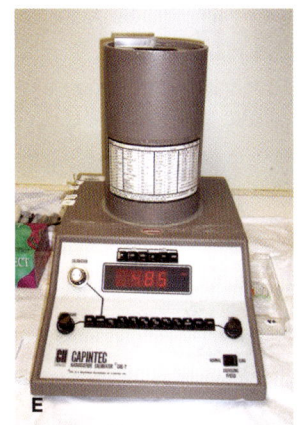

Figura 9.2 – (A) Frasco azul – Mo; (B) frasco vermelho – para coletar ^{99m}Tc produzido; (C) frasco vermelho com blindagem – com ^{99m}Tc em seu interior; (D) frasco azul de Mo em posição dentro do gerador; (E) frasco vermelho com a blindagem em posição dentro do gerador para receber o ^{99m}Tc produzido; (F) milicurriômetro (equipamento que mensura a radiação do radiofármaco para ser injetado no paciente).

Fonte: A. C. Camargo.[5]

Figura 9.3 – (A) Capela blindada para manipulação de radiofármacos; (B) interior da capela blindada com os recipientes de fármacos e o isótopo ^{99m}Tc.

Fonte: A. C. Camargo.[5]

nuclear. A unidade de medida é o miliCurie (mCi). Depois de preparada, é mensurada em um equipamento chamado milicuriômetro, e então é injetada no paciente por via endovenosa (Figs. 9.4 e 9.5). A partir desse momento, o paciente passa a ser o emissor de radiação.

A radiação produzida é do tipo gama. O equipamento chamado câmara gama (Fig. 9.6) realiza a leitura dos radioisótopos por meio da radiação emitida pelo paciente, a qual provoca uma cintilação – daí o nome **cintilografia** –, fornecendo informações quanto à função e quanto ao metabolismo dos órgãos em avaliação.

Os raios incidentes passam pelos canais de chumbo do colimador, os quais os direcionam, determinando a resolução espacial da imagem

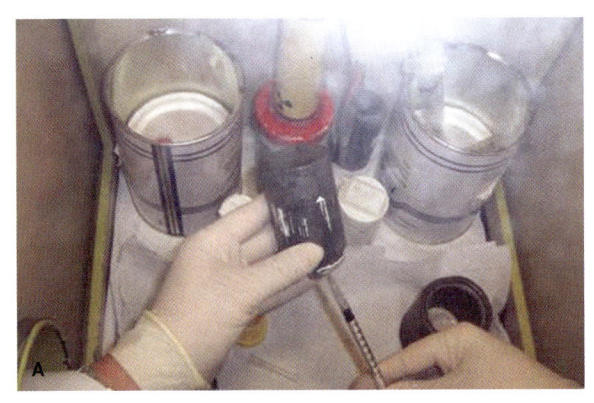

Figura 9.4 – (A) Preparação da dose de radiofármaco; (B) mensuração da radiação da dose do radiofármaco ^{99m}Tc-MDP.

Fonte: A. C. Camargo.[5]

Figura 9.5 – Paciente posicionado no aparelho câmara gama e recebendo a injeção de radiofármaco.

Fonte: Jaguar.[6]

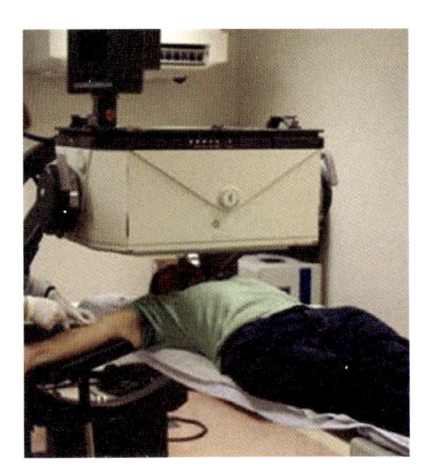

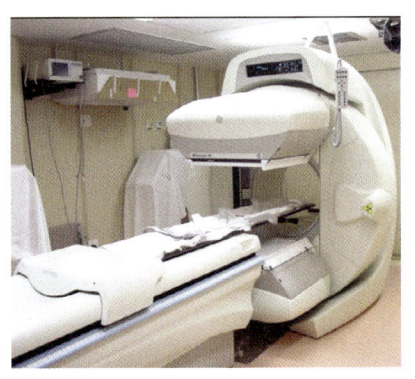

Figura 9.6 – Câmara gama.

Fonte: A. C. Camargo.[5]

cintilográfica (Fig. 9.7). Posteriormente, o cristal de iodeto de sódio ativado com impurezas de tálio – NaI (Ti) – absorve a radiação colimada, a qual excita suas moléculas produzindo fótons luminosos, caracterizando assim a cintilação. Os fótons incidem nas fotomultiplicadoras responsáveis pela formação de pulsos de elétrons (Fig. 9.8).

Os pulsos provenientes das fotomultiplicadoras são analisados e "filtrados" por um potenciômetro calibrado. Apenas aqueles específicos do radionuclídeo de estudo serão digitalizados em função de uma matriz (Fig. 9.9).

Outro radioisótopo utilizado para avaliação do metabolismo ósseo é **fluoreto-^{18}F (NaF-^{18}F)**, devido à sua alta afinidade pelo tecido ósseo e à sua fácil produção em uma reação de alta velocidade.[7]

O NaF-^{18}F pode ser produzido utilizando-se tempos de irradiações curtas que são alcançados com os cíclotrons cíclicos, que são aceleradores de partículas. O NaF-^{18}F, que é produzido nesta reação, é coletado como sendo ^{18}F$^-$ pela passagem da água enriquecida por meio da troca de íons. Nos casos em que o NaF-^{18}F é utilizado para a

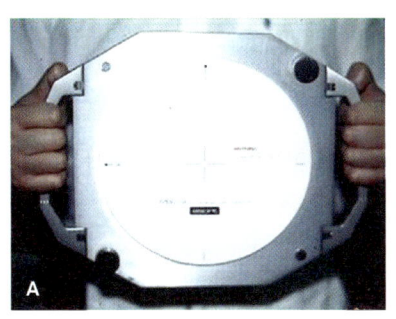

Figura 9.7 – (A) Colimador MSC – baixa energia e alta resolução; (B) septos de um colimador (com aumento).

Fonte: Einstein.[8]

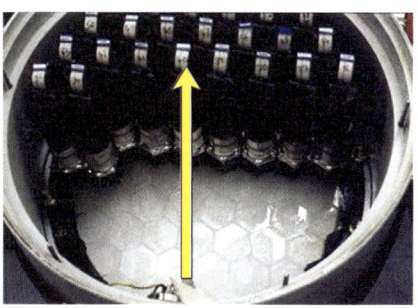

Figura 9.8 – "Cabeça" de uma câmara gama com metade de seus tubos fotomultiplicadores.

Fonte: Einstein.[8]

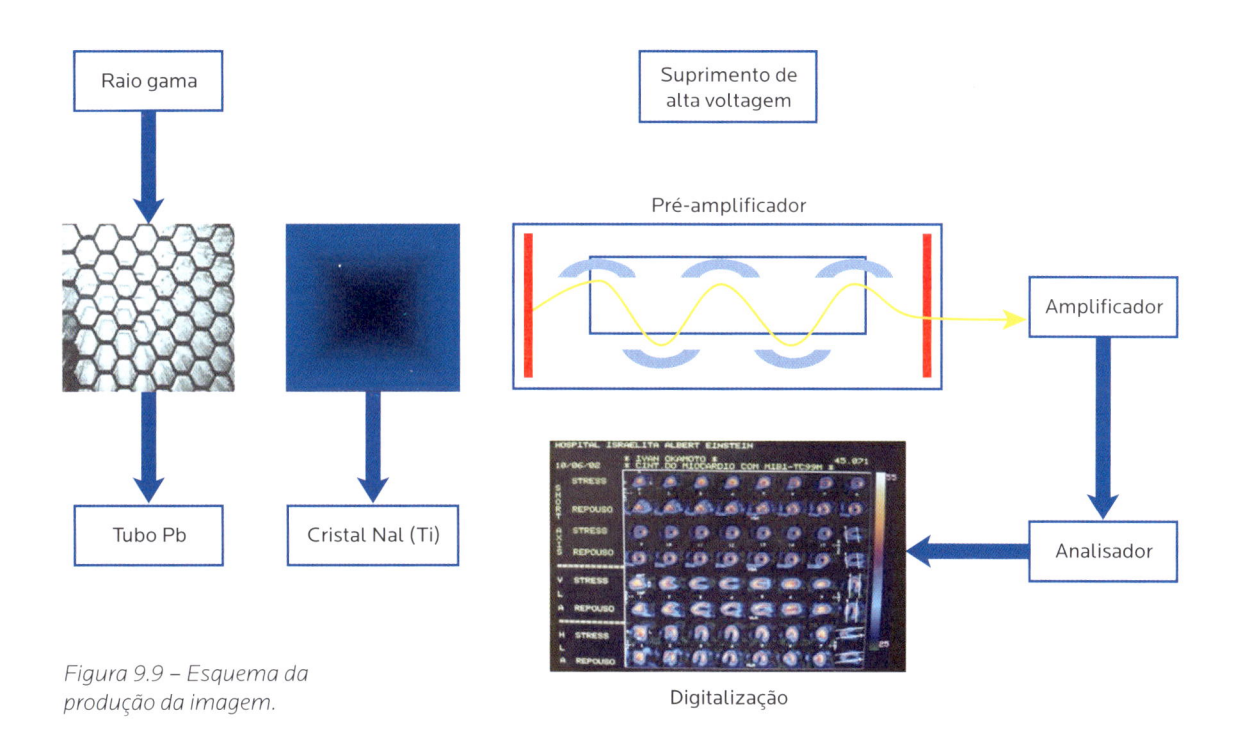

Figura 9.9 – Esquema da produção da imagem.

avaliação do tecido ósseo, nenhum outro processamento químico é necessário.[9]

INDICAÇÕES DA MEDICINA NUCLEAR NA ODONTOLOGIA

- Avaliação de alterações ósseas metabólicas: remodelação, pesquisa de focos inflamatórios e infecciosos, alterações patológicas intraósseas (benignas e malignas)
- Avaliação de neoplasias: focos primários e secundários (metástases) em tecido ósseo ou tecido mole
- Avaliação de atividade das glândulas salivares

EXAMES MAIS UTILIZADOS EM ODONTOLOGIA

Para avaliação de alterações ósseas metabólicas e neoplasias em tecido ósseo, podem-se utilizar os exames de cintilografia óssea, SPECT e SPECT/TC, descritos a seguir.

CINTILOGRAFIA ÓSSEA

A cintilografia óssea permite a avaliação do metabolismo ósseo, remodelação, doenças inflamatórias e infecciosas como, por exemplo, alterações periapicais e periodontais, osteomielites e pesquisas de neoplasias, porém com dificuldade de localização das alterações.

As alterações estruturais são consequência das alterações osteometabólicas; por isso, a cintilografia óssea permite a detecção precoce das anormalidades antes de serem observadas em exames de raios X – em radiografias, estima-se ser necessário de 40 a 50% de descalcificação para ser observada alguma alteração óssea.
Com apenas um aumento de aproximadamente 5% no ritmo de remodelação óssea, há uma concentração do composto radioativo nessas áreas, tornando-as hiperconcentrantes, podendo ser até três vezes maior do que o osso normal adjacente e facilitando bastante sua identificação.

Hiperconcentração em cintilografia óssea é o achado mais precoce, eficiente e sensível de remodelação óssea, lesões benignas, tumores malignos ou metástases. Assim, é imprescindível o conhecimento anatômico e fisiológico normal para a correta interpretação do exame.[1,10-13]

Jones e Paton,[14] estudaram cintilografias craniofaciais em situações de normalidade após a administração, em humanos, de ^{99m}Tc polifosfatado ou trimetrofosfatado. Dentre os ossos observados, a maxila e a mandíbula, por vista lateral, apresentaram-se como barras paralelas, com áreas de maior ou menor concentração do radiofármaco. Na vista anterior, a mandíbula evidenciou imagem de semiarco, com captação crescente, e a maxila em semiarco paralelo à mandíbula. Os autores destacam que a cintilografia é de grande valia no diagnóstico de tumores ósseos primários e metastáticos, displasias fibrosas, doença de Paget e lesões de maxila e mandíbula relacionadas a problemas dentais.

Garcia e colaboradores,[15] verificaram, a partir de estudos em cães, que o exame cintilográfico mostrava-se positivo na detecção de alterações periapicais, no período de 7 a 10 dias após o desencadeamento de uma pulpite, ao passo que os primeiros sinais radiográficos manifestavam-se a partir da quarta à sexta semana após o início da lesão.

A cintilografia óssea planar possibilita a observação em um plano por imagem e com pouca especificidade, apesar de alta sensibilidade.

A limitação da técnica está na sua dificuldade em localizar anatomicamente alguma possível alteração metabólica, na região de cabeça e pescoço, devido às proximidades das estruturas.[16]

Davidowicz e colaboradores,[17] concluíram que a cintilografia permitiu identificar maior número de alterações periapicais, quando comparada aos exames radiográficos pelas técnicas periapical do paralelismo e panorâmica, mas não permitiu identificar a sede exata das alterações periapicais. Assim, Davidowicz,[18] desenvolveu um aparato intraoral blindador de raios gama para individualizar elementos dentários nas imagens cintilográficas (Fig. 9.10).

Com a finalidade de avaliar a aplicação dos recursos diagnósticos fornecidos pela cintilografia em casos de implantes osteointegrados, Davidowicz e colaboradores[17] selecionaram um paciente portador de implantes osteointegrados em maxila e mandíbula, sendo que os implantes osteointegrados em mandíbula haviam sido realizados fazia uma semana, ao passo que os implantes em maxila haviam sido realizados fazia 14 meses. Os autores observaram maior atividade metabólica na área de mandíbula, e ausência de atividade metabólica em maxila. Assim, concluíram que a observação da atividade metabólica no tecido ósseo ou sua ausência é essencial para o controle desse tipo de terapia.

SAIBA MAIS

O emprego da cintilografia na odontologia, no Brasil, ocorreu a partir dos estudos de Serson e colaboradores,[19] verificando a hiperconcentração do radioisótopo ^{85}Sr em caso de implantes dentários agulhados.

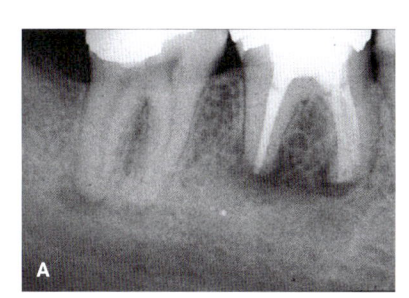

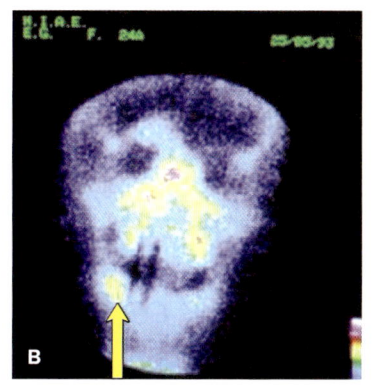

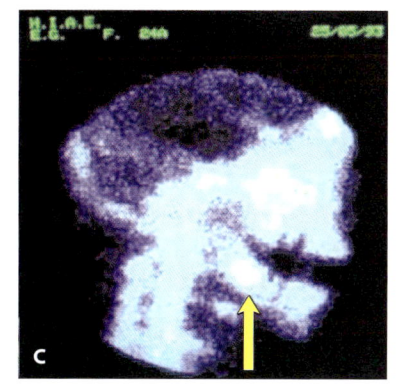

Figura 9.10 – Paciente com dente 46 já tratado endodonticamente e após cirurgia paraendodôntica e rarefação óssea periapical do tipo difusa no dente 47, e após realizado capeamento direto: (A) radiografia periapical de molares inferiores no lado direito, mostrando rarefação óssea periapical do tipo difusa; (B e C) cintilografia óssea com aparato blindador de raios gama[18] posicionado na mesial e distal do elemento 46 mostrando hiperconcentração focal do radiofármaco ^{99m}Tc-MDP na região referente ao elemento 47, em vista anterior (B) e em vista lateral (C), confirmando que a imagem radiográfica de rarefação óssea do elemento 46 referia-se a uma escara cicatricial.

SPECT

A técnica de imagens tomográficas em medicina nuclear denominada tomografia computadorizada por emissão de fóton único, também chamada de SPECT ^{99m}Tc-MDP (sigla para *single photon emission computed tomography*) com o radiofármaco ^{99m}Tc-MDP, demonstra tridimensionalmente o metabolismo ósseo da região, ou seja, a observação e a mensuração quantitativa do estresse ósseo nos planos sagital, coronal e transaxial ou horizontal, devido à movimentação giratória do cabeçote da câmara gama ao redor do paciente.

LEMBRETE

Apesar da grande sensibilidade da SPECT em termos metabólicos, a técnica ainda carece de exatidão em relação às estruturas vizinhas à alteração.

Essa técnica gera imagens a partir de vários ângulos diferentes, mas detecta apenas um ângulo de projeção por vez. Assim, em comparação com a cintilografia óssea planar, fica aumentada a sensibilidade, facilitando um pouco mais a localização anatômica das alterações do esqueleto devido à afinidade do ^{99m}Tc-MDP por sítios de remodelação óssea que refletem a atividade osteometabólica (Turkington, 2002).

A SPECT é um exame muito utilizado em lesões ósseas, como osteomielites (Fig. 9.11), e na avaliação das **glândulas salivares**, entre outras aplicações ainda de menor utilização, como observação de enxertias, estabilidade de implantes osseointegrados ao longo do tempo, dores frustras do segmento craniomandibular, sinusopatias e controles periodontais.

Em casos de sinusopatias, ou até mesmo processos irruptivos dos terceiros molares, pode haver hiperconcentração das áreas em questão. Assim, são consideradas **condições contraindicadas** para o exame, de acordo com autores como Davidowicz e colaboradores,[17] Shimamoto e colaboradores[20] e Laverick e colaboradores.[21] Os processos irruptivos encontrados devem ser confrontados com os exames radiográficos, avaliando-se o estágio do processo, também de acordo com autores como Davidowicz e colaboradores[22] e Wilde e colaboradores,[23] demonstrando que nenhum exame complementar é absoluto unicamente em seus achados. O ideal é associar as técnicas para um melhor diagnóstico.

As glândulas salivares possuem um mecanismo capaz de captar o pertecnetato de tecnécio (^{99m}TcO4-) e concentrá-lo em quantidades

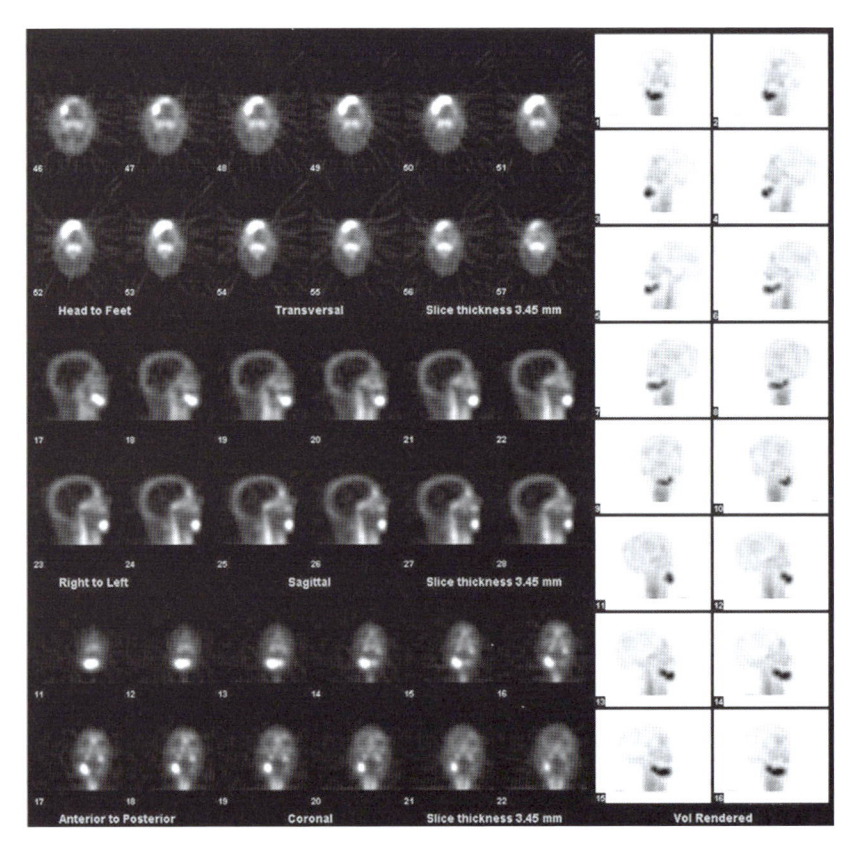

Figura 9.11 – Imagens de SPECT com ^{99m}Tc-MDP nos planos axial, sagital e coronal, demonstrando hiperconcentração focal intensa do radiofármaco na mandíbula do lado esquerdo, indicativa de osteomielite.

Fonte: A. C. Camargo.[5]

suficientes no sistema de ductos interlobulares, permitindo, assim, sua visualização em forma de imagem. Conforme a glândula é estimulada com alguma substância ácida, este radiofármaco é excretado.

A cintilografia das glândulas salivares é um método diagnóstico seguro, específico, sensível e objetivo para detectar disfunção glandular. A disfunção glandular e a consequente hipossalivação e/ou xerostomia têm sido descritas como decorrentes de vários fatores, como doenças sistêmicas (síndrome de Jögren, por exemplo); medicações (antimuscarínicos, antidepressivos, neurolépticos e anti-histamínicos); *status* nutricional; condição de hidratação; tabagismo; idade; fármacos antineoplásicos; e pacientes submetidos à radioterapia em região de cabeça e pescoço[6] (Fig. 9.12).

Para a avaliação do exame, são utilizadas as imagens estáticas pré-estímulo. As regiões de interesse (ROIs, sigla de *regions of interest*) podem ser desenhadas manualmente para cada uma das glândulas parótidas e submandibulares, e também em uma área de fundo sobre a cabeça do paciente como referência. As mesmas ROIs são colocadas para as imagens pós-estímulo das glândulas correspondentes. Assim, é possível calcular o percentual de captação do ^{99m}Tc em 10 minutos e a porcentagem de excreção salivar pós-estímulo (Fig. 9.13).

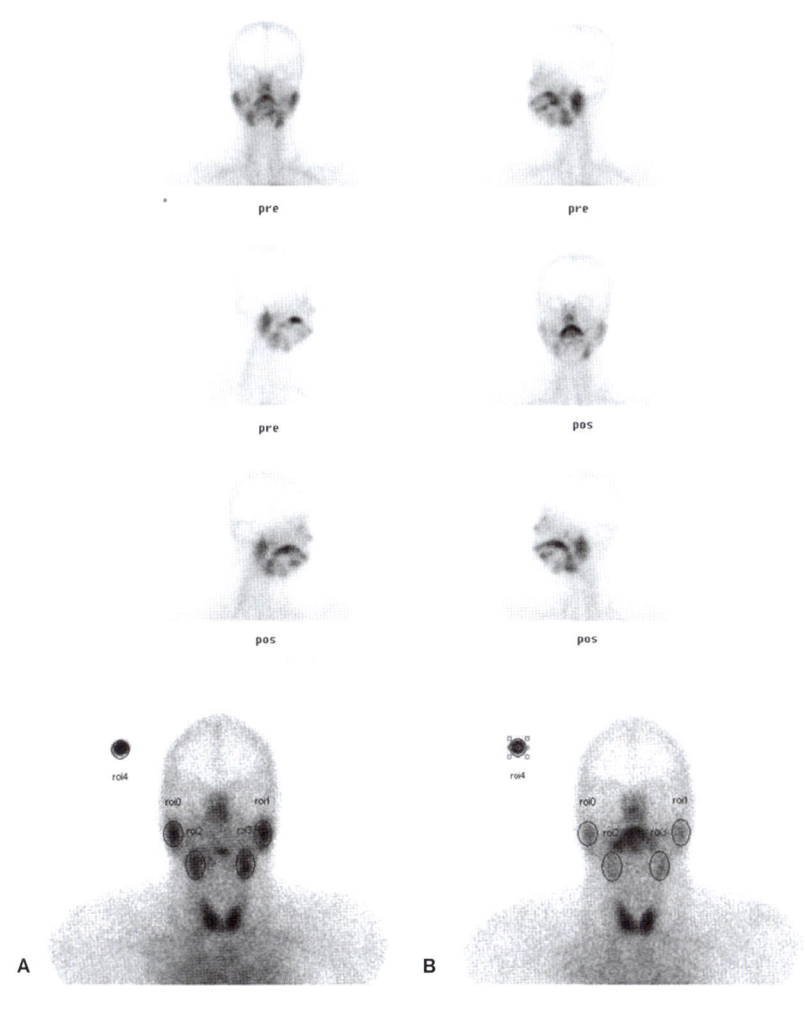

Figura 9.12 – Cintilografia de glândulas salivares pré e pós-estímulo. Nota-se a diminuição da concentração do radiofármaco ^{99m}TcO4 – das glândulas parótidas e submandibulares bilateralmente após o estímulo.

Fonte: A. C. Camargo.[5]

Figura 9.13 – Delineamento das ROIs para quantificação da captação e excreção das glândulas parótidas e submandibulares: (A) pré-estímulo; (B) pós-estímulo.

Fonte: Jaguar.[6]

SPECT/TC

O sistema híbrido SPECT/TC é uma técnica viável de coleta de imagens corregistradas de duas modalidades. O mapeamento anatômico funcional (FAM) permite maior precisão de interpretação dos estudos cintilográficos em diversos casos, e a imagem de fusão melhora a acurácia diagnóstica da SPECT em várias situações clínicas.[24]

A associação das imagens metabólicas com as imagens de TC torna possível a detecção precoce e a localização exata de remodelação óssea, além de reformatações tridimensionais das estruturas ósseas, as quais facilitam a observação dessas alterações osteometabólicas.[25] É um exame com baixa dose de radiação e alta sensibilidade e especificidade, se comparado às radiografias convencionais e tomografias.

Coutinho e colaboradores[26] demonstraram que as imagens de fusão corregistradas, o exame SPECT/TC com ^{99m}Tc-MDP da região de ATM, é um método auxiliar relevante, útil, de grande valia, sensível, específico e acurado, podendo ser um dos métodos de escolha indicados para diagnóstico de DTM. Dessa maneira, foi considerado um exame com perspectivas futuras para mais pesquisas de suas aplicações, comparando e associando a outros métodos de diagnóstico por imagem, além da sua aplicação como método para avaliação de resultado de terapêutica aplicada e seguimento dos pacientes com DTM (ver Figs. 9.17 e 9.18, mais adiante).

PROTOCOLOS DE AQUISIÇÃO DAS IMAGENS

Quanto à aquisição das imagens, os exames de cintilografia, SPECT e SPECT/TC seguem basicamente um protocolo básico, descrito a seguir.

SOLICITAÇÃO DE EXAME

A solicitação de exame deve ser feita conforme o seguinte modelo:

Solicito para o Sr.(a) _____ o mapeamento cintilográfico dos ossos da face com interesse na região de maxila direita vinculada aos dentes 16 e 17, ou região de ATM.

Local e data

_____
Assinatura do profissional

INJEÇÃO DO RADIOFÁRMACO

Em ambiente hospitalar, faz-se a injeção endovenosa do radiofármaco, de acordo com peso corpóreo do paciente e o tecido a ser examinado (ver Fig. 9.5).

AQUISIÇÃO DE IMAGENS

A aquisição das imagens cintilográficas, SPECT e SPECT/TC geralmente consiste em quatro fases distintas, descritas a seguir.

Fase de fluxo sanguíneo: A primeira fase cintilográfica é a chegada do radiofármaco no sangue. Essa fase consiste na análise das alterações do fluxo sanguíneo arterial, nas projeções anterior, posterior e laterais do crânio e da mandíbula, conforme a área de interesse. Nesta fase, quando existe algum foco inflamatório e/ou infeccioso, já se observa uma maior concentração do radiofármaco no local, devido ao grande aporte sanguíneo nessas regiões (Figs. 9.14 e 9.16).

Fase de equilíbrio: A segunda fase cintilográfica resulta na aquisição de imagens estáticas planares nas projeções anterior, posterior e laterais de crânio e mandíbula, adquiridas 5 minutos após o término da primeira fase, onde as alterações de permeabilidade vascular local são representadas (Figs. 9.14 e 9.16).

Fase tardia: Na terceira fase cintilográfica, adquire-se uma imagem de corpo inteiro nas projeções anterior, posterior e laterais de 2 a 3 horas (conforme a área de interesse) após a injeção do radiofármaco. Nesta fase, o radiofármaco já está no meio intracelular. A cintilografia óssea consiste no exame até esta fase, somente com as imagens planares (Figs. 9.15 e 9.16).

Fase tardia SPECT/TC: A quarta fase está vinculada à aquisição tomográfica das imagens cintilográficas. As imagens de transmissão

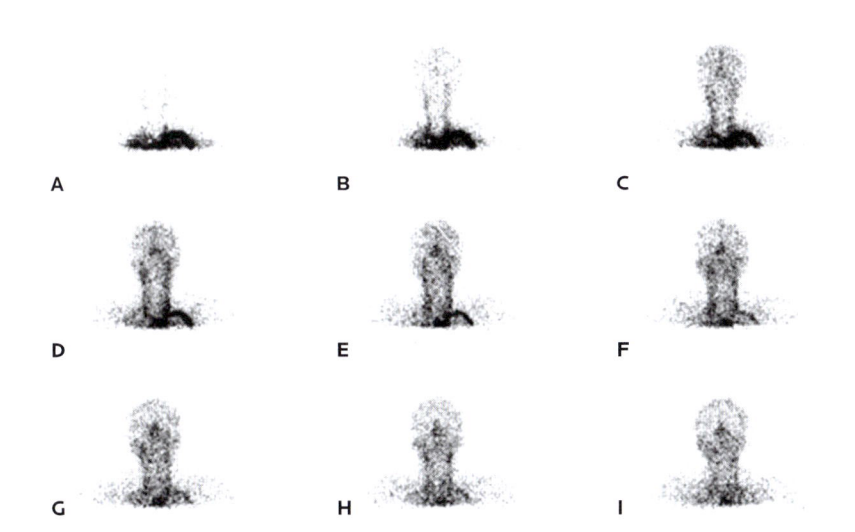

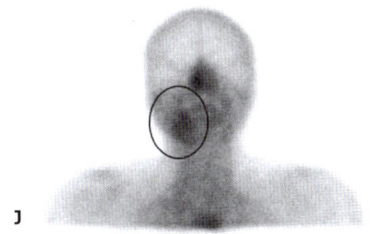

Figura 9.14 – Cintilografia óssea de mandíbula com ^{99m}TC-MDP. Primeira e segunda fases: fluxo (A a I) e equilíbrio (J) com presença de foco inflamatório/infeccioso em mandíbula do lado direito, indicando osteomielite.

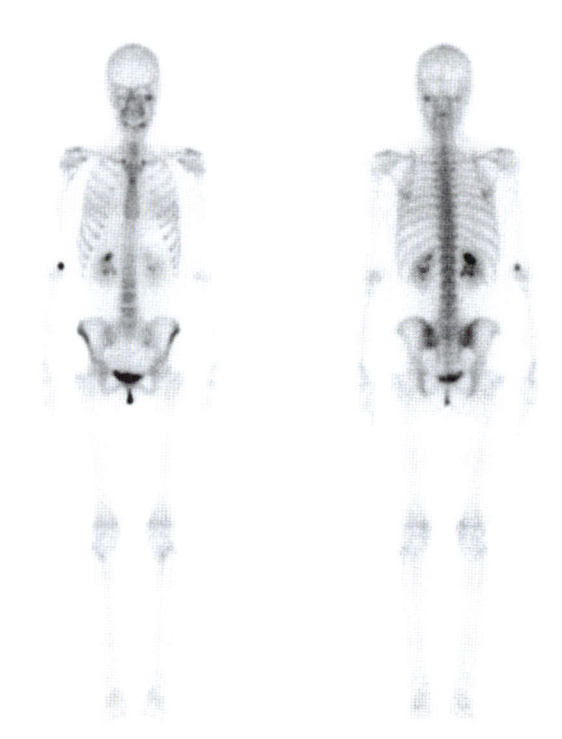

Figura 9.15 – (A e B) Cintilografia óssea com ⁹⁹ᵐTC-MDP. Terceira fase (tardia): nota-se uma hiperconcentração focal do radiofármaco na região próxima da ATM esquerda, mas é difícil afirmar a localização exata.

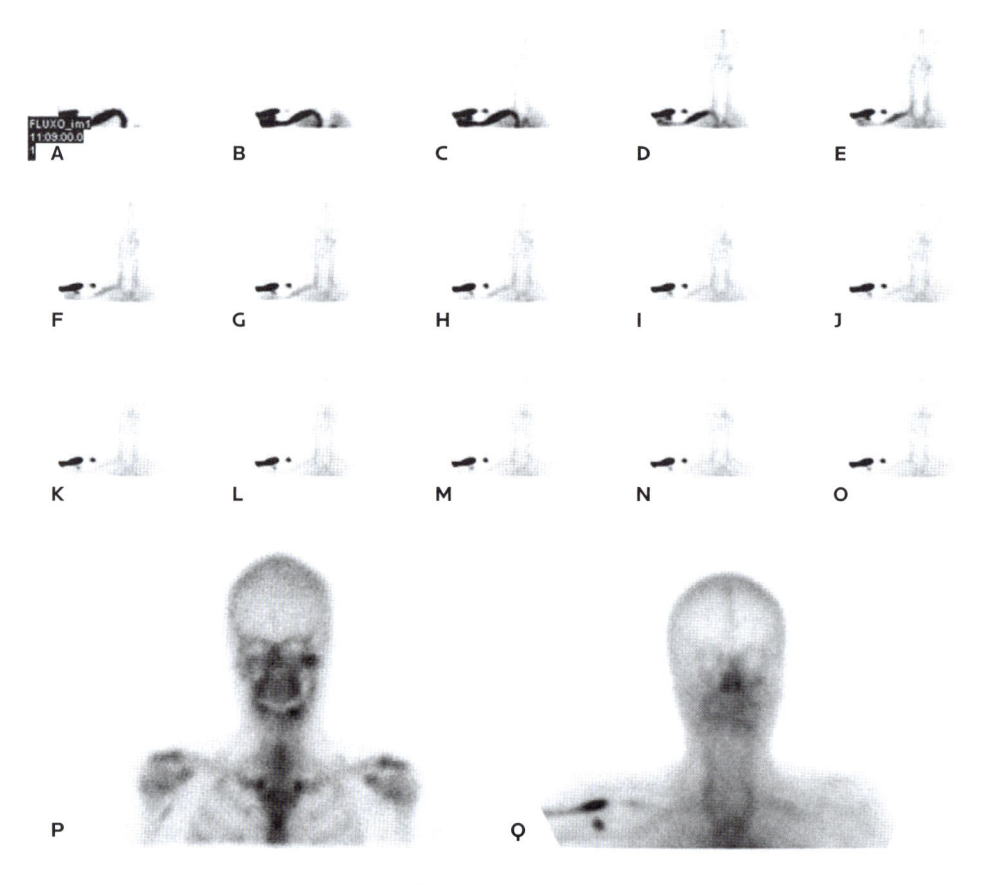

Figura 9.16 – Cintilografia óssea com ⁹⁹ᵐTC-MDP. Primeira, segunda e terceira fases: fluxo (A a O), equilíbrio (P) e tardia (Q): nota-se, na fase tardia, uma hiperconcentração focal do radiofármaco na região próxima da ATM esquerda e na mandíbula também do lado esquerdo, mas é difícil afirmar a localização exata.

não cintilográfica, ou seja, de TC (tomógrafo helicoidal) por raios X, da região de interesse, são adquiridas no mesmo equipamento. Em seguida, adquirem-se as imagens de emissão cintilográfica novamente, porém denominadas imagens tomográficas de medicina nuclear (SPECT) da mesma região, onde são observadas as alterações tardias das atividades osteometabólicas locais e sistêmicas, agora sim localizadas topograficamente com exatidão.

Ao término do processo de aquisição das imagens, no computador de trabalho (*workstation*) são realizadas as reformatações multiplanares nos planos axial, coronal e sagital, juntamente com o processamento e fusão das imagens corregistradas dos dados anatômicos originados na TC e dos dados fisiológicos e metabólicos originados da SPECT com ^{99m}Tc-MDP (Figs. 9.17 a 9.20).

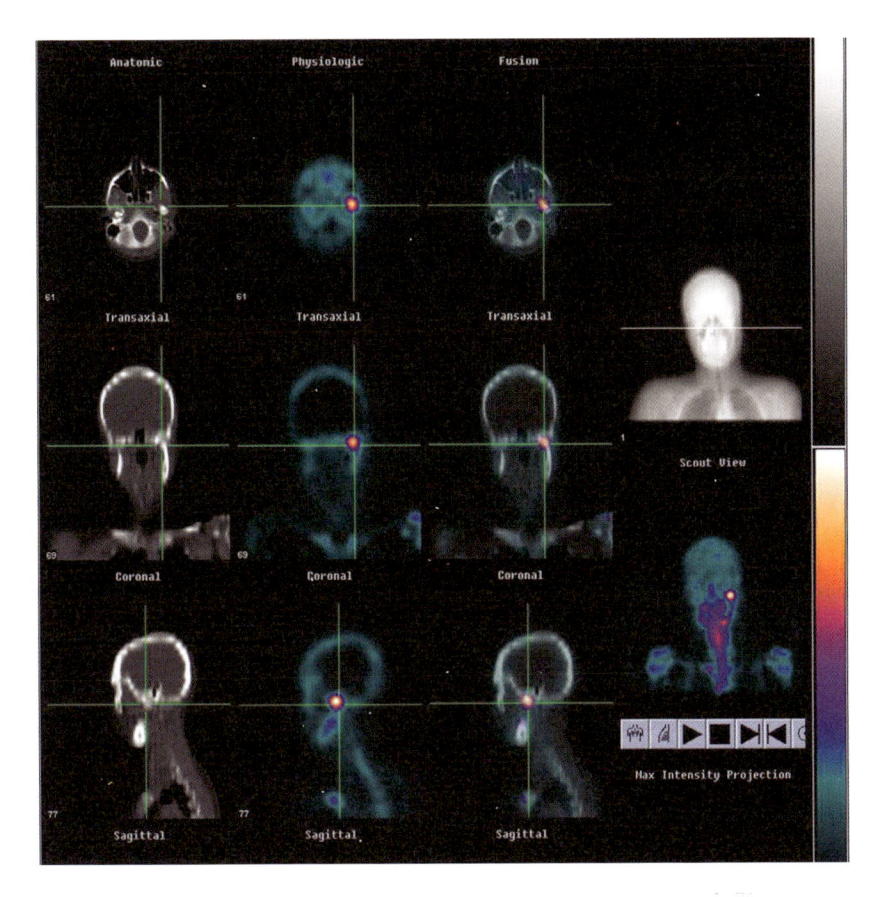

Figura 9.17 – Imagens de TC na primeira coluna; imagens somente de SPECT na segunda coluna; e na terceira coluna imagens de fusão corregistradas SPECT/TC com ^{99m}Tc-MDP nos planos axiais (primeira fileira), coronais (segunda fileira) e sagitais (terceira fileira), demonstrando hiperconcentração focal do radiofármaco na projeção da ATM esquerda.

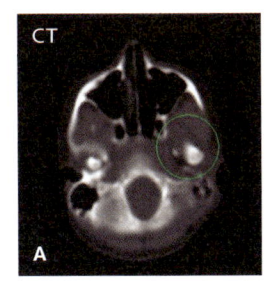

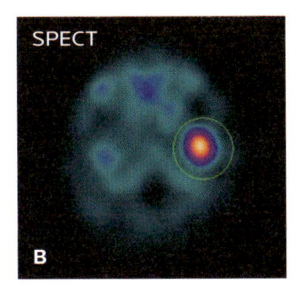

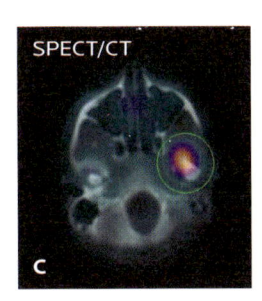

Figura 9.18 – (A a C) Imagens de fusão corregistradas em SPECT/TC com ^{99m}Tc-MDP no plano axial, do mesmo paciente da Fig. 9.17, demonstrando hiperconcentração focal do radiofármaco na projeção da ATM esquerda.

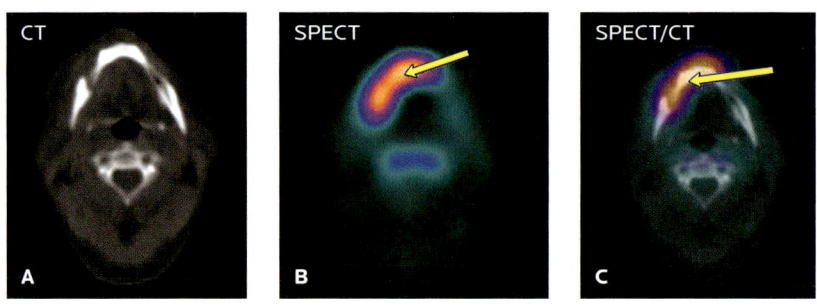

Figura 9.19 – (A a C) Imagens de fusão corregistradas em SPECT/TC com ⁹⁹ᵐTc-MDP no plano axial demonstrando hiperconcentração focal intensa do radiofármaco na mandíbula do lado esquerdo, indicando osteomielite.

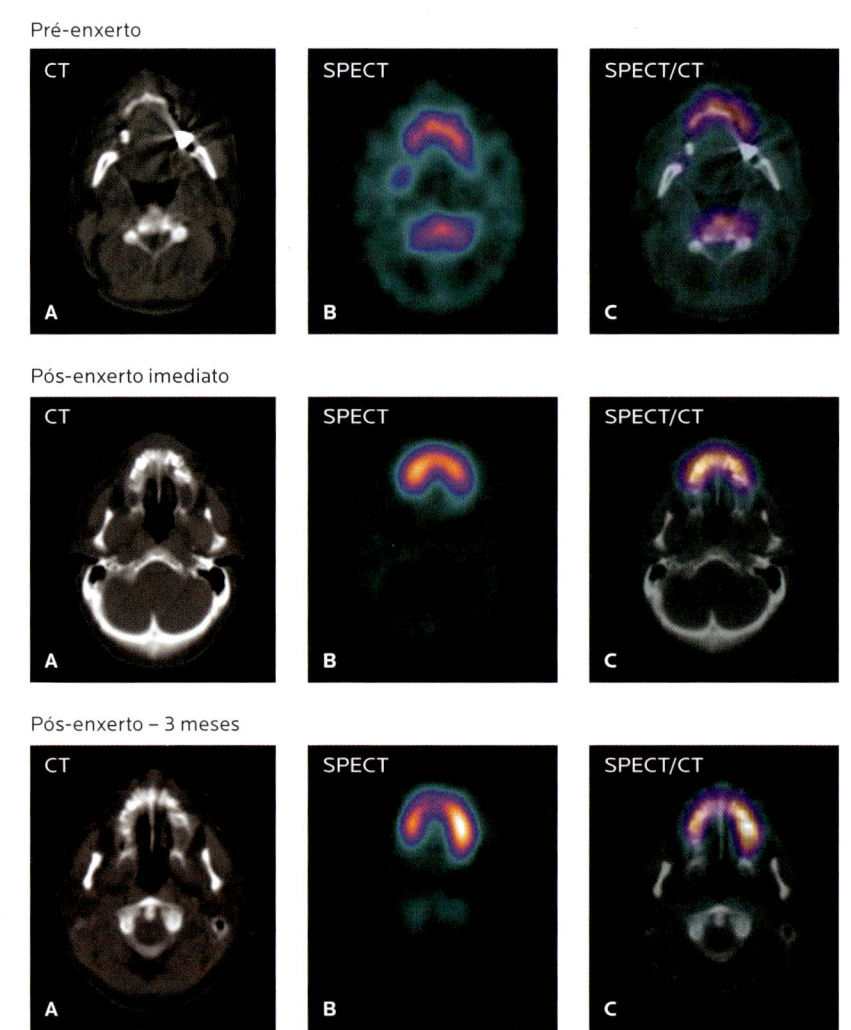

Pré-enxerto

Pós-enxerto imediato

Pós-enxerto – 3 meses

Figura 9.20 – Imagens de fusão corregistradas em SPECT/TC com ⁹⁹ᵐTc-MDP no plano axial, demonstrando diferenças de concentração do radiofármaco na maxila em três momentos: pré-operatório; pós-operatório (dia seguinte de reconstrução de maxila com enxerto ósseo de crista ilíaca) e hiperconcentração do radiofármaco em toda a maxila; e pós-operatório de 3 meses (aumento da área com hiperconcentração do radiofármaco associado a diminutos sinais clínicos de infecção na região enxertada).

TOMOGRAFIA POR EMISSÃO DE PÓSITRONS (PET)

A tomografia por emissão de pósitrons (PET) utiliza radionuclídeos específicos que são emissores de pósitrons, a antipartícula do elétron com carga positiva. Dentre estes, encontram-se carbono-11, nitrogênio-13, oxigênio-14 e flúor-18 (^{18}F), sendo produzidos em aceleradores de partículas, os cíclotrons. Têm em geral meia-vida curta, de poucos minutos, o que não permite sua estocagem. Para a sua utilização, portanto, é necessário que haja um cíclotron próximo ao local do exame.[27]

Nos equipamentos utilizados para a PET, os detectores estão dispostos em anéis que registram em coincidência a radiação emitida pela aniquilação dos pósitrons (PET *scanners*) (Tukington, 2002).

Os equipamentos para PET podem estar associados a TCs do tipo helicoidal *multislice*, o que permite que, em um mesmo equipamento, sejam adquiridas simultaneamente imagens morfológicas (TC) e metabólicas (PET). Tais equipamentos híbridos são conhecidos como PET/TC, podendo ser dedicados (fazem exclusivamente este tipo de exame) ou não dedicados (podem fazer, além de PET e PET/TC, também SPECT e SPECT/TC). A grande vantagem da associação com TC é facilitar a localização da alteração, como, por exemplo, do tumor, muitas vezes ainda incipiente.

O radiofármaco mais utilizado em PET é o fluordeoxiglicose (FDG), marcado com ^{18}F, que é um análogo da glicose e segue o mesmo trajeto metabólico da glicose nos tecidos. O FDG é metabolizado mais lentamente do que a glicose no interior das células, permitindo sua detecção de acordo com a sua distribuição pelos equipamentos de PET. Os processos inflamatórios, infecciosos e tumorais em atividade têm grande avidez por glicose; portanto, o uso de ^{18}F-FDG está indicado no diagnóstico e controle evolutivo de pacientes portadores de neoplasias e de lesões inflamatórias e infecciosas.[9]

Outro radiofármaco utilizado em PET que pode ser aplicado na avaliação das alterações metabólicas ósseas é o fluoreto de sódio marcado com ^{18}F (NaF-^{18}F ou fluoreto-^{18}F), pois apresenta grande afinidade com o tecido ósseo.[9,21,28]

Segundo Tanimoto e colaboradores,[29] o critério utilizado para a avaliação de neoplasias, processos inflamatórios ou infecciosos é o *Standard Uptake Value* (SUV), que é a média da quantidade do radiofármaco presente na região alterada quando comparada com a média do mesmo radiofármaco no restante do corpo. Esses valores são obtidos a partir de um cálculo matemático:

FÓRMULA: $$SUV = \frac{\text{Concentração tecidual (mCi/g)}}{\text{Dose administrada/peso corporal (g)}}$$

Xing[30] e Wessels[31] afirmam que a PET com ^{18}F-FDG é uma técnica de diagnóstico por imagem que pode detectar precocemente alterações em certos tecidos ou órgãos, geralmente antes do progresso da doença. O teste detecta aumento do metabolismo da glicose, que costuma ser maior em tumores malignos quando comparados com tecidos normais. Os autores afirmam, ainda, que, por ser um exame funcional, não mostra as regiões anatômicas tão bem quanto a TC.

Com o objetivo de investigar o acúmulo de altas concentrações de FDG em infecções na cavidade bucal com o auxílio da PET/TC com ^{18}F-FDG, Shimamoto e colaboradores[20] selecionaram 103 pacientes, nos quais foram realizados os exames clínicos e radiográficos para avaliar as condições dentárias.

As infecções dentárias foram classificadas em seis blocos, sendo a severidade da cárie dental classificada em cinco níveis, e a doença periodontal e periodontite apical classificadas em três níveis, segundo sua severidade. Os achados foram classificados por dois radiologistas. Os autores concluíram que, com exceção de cárie dental, a doença periodontal e a periodontite apical causam altas concentrações de FDG na cavidade bucal, devendo, portanto, ser levadas em consideração na análise das imagens de PET/TC com ^{18}F-FDG de paciente com tumor de cabeça e pescoço.

Laverick e colaboradores[21] desenvolveram um estudo para avaliar a capacidade de diagnóstico em casos de **suspeita de hiperplasia condilar** por meio do NaF-[18]F. Para isso, cinco pacientes com suspeita de hiperplasia condilar foram selecionados. Os resultados obtidos pelo exame de PET/TC com ^{18}F foram coerentes com os achados operatórios em todos os pacientes, sugerindo, portanto, que este método é eficaz no diagnóstico de hiperplasia condilar.

Em 2009, Wilde e colaboradores[23] dedicaram-se a um estudo que buscava testar a sensibilidade de PET com [18]F e PET com ^{18}F-FDG no diagnóstico de **osteorradionecrose em mandíbula**. Assim, nove pacientes foram selecionados para diagnóstico e avaliação da severidade dessa alteração. Os resultados demonstraram que, enquanto a PET com ^{18}F se mostrou um método sensível para o diagnóstico da osteorradionecrose, a PET com ^{18}F-FDG pode ser útil na avaliação da severidade da alteração.

Em 2010, Carvalho[32] verificou que a PET/TC com NaF-^{18}F permitiu detectar um maior número de **alterações periapicais**, quando comparado aos exames radiográficos pelas técnicas periapical e panorâmica. Assim, ficou demonstrado que a PET/TC com NaF-[18]F é um exame de grande interesse por permitir a união da precocidade de diagnóstico, dada pela imagem fisiológica (PET), associada ao detalhamento da localização das alterações periapicais, dado pela imagem anatômica (TC) (Figs. 9.21 a 9.24).

A PET/TC com ^{18}F-FDG é muito utilizada para avaliação da resposta terapêutica à quimioterapia e à radioterapia. Nos tumores de cabeça e pescoço, os carcinomas espinocelulares são muito comuns e, geralmente, quando diagnosticados, encontram-se em um estágio um pouco mais avançado. Os critérios de mensuração anatômica são um pouco limitados, pois a lesão altera a anatomia local, principalmente se o local já sofreu algum tipo de cirurgia. Por isso, no início do tratamento, é realizada uma PET/TC com ^{18}F-FDG para avaliar a

Imaginologia | 127

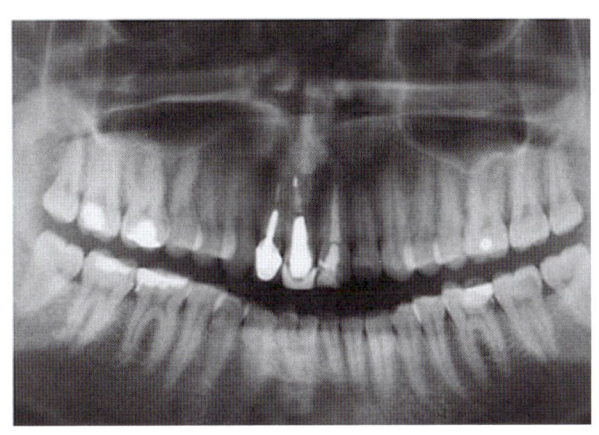

Figura 9.21 – Radiografia panorâmica de paciente submetido posteriormente à PET/TC com ^{18}F – nota-se ausência de lesão na região do elemento 36.

Fonte: Cavalho.[32]

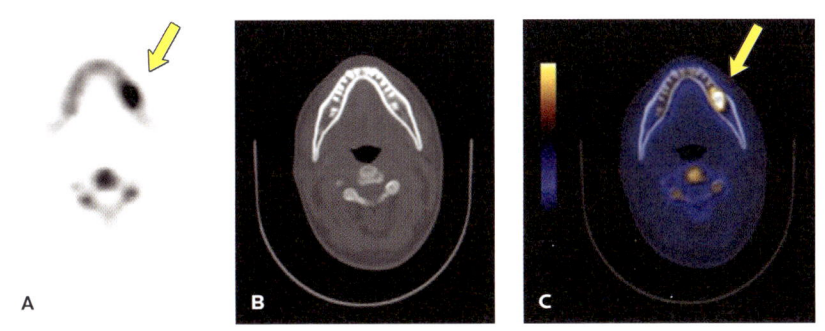

Figura 9.22 – Imagens do mesmo paciente da Fig. 9.21 no plano axial: (A) representação da PET; (B) representação da TC; (C) ROI desenhada sobre as áreas suspeitas, mostrando hiperconcentração focal do radiofármaco NaF-^{18}F na região do elemento 36 após observação da TC para localização exata da lesão.

Fonte: Carvalho.[32]

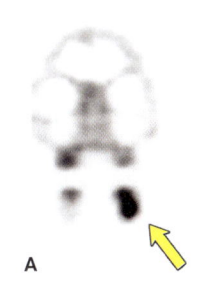

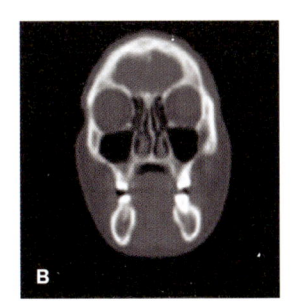

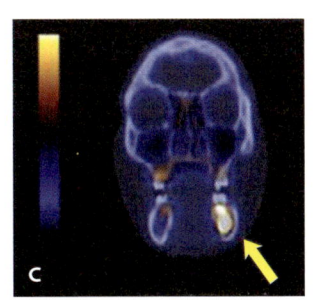

Figura 9.23 – Imagens do mesmo paciente (Fig. 9.22) no plano coronal: (A) representação da PET; (B) representação da TC; (C) ROI desenhada sobre as áreas suspeitas, mostrando hiperconcentração focal do radiofármaco NaF-^{18}F na região do elemento 36 após observação da TC para localização exata da lesão.

Fonte: Carvalho.[32]

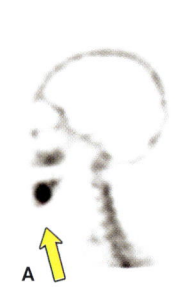

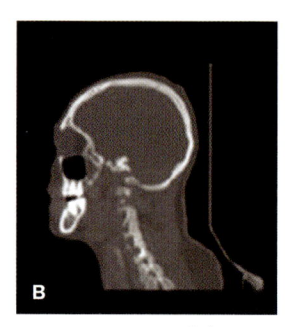

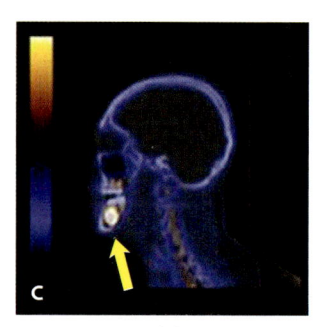

Figura 9.24 – Imagens no plano sagital: (A) representação da PET; (B) representação da TC; (C) ROI desenhada sobre as áreas suspeitas, mostrando hiperconcentração focal do radiofármaco NaF-^{18}F na região do elemento 36 após observação da TC para localização exata da lesão.

Fonte: Carvalho.[32]

atividade tumoral, dada pelo SUV, e determinar sua localização exata (Fig. 9.25).

O primeiro exame, além de ser uma referência, também chamado de *baseline*, pode ser utilizado para planejamento de radioterapia, se for o tratamento de escolha. De acordo com a concentração do ^{18}F-FDG (SUV), a atividade tumoral é mensurada e, então, é realizado o planejamento proporcionalmente à concentração do radiofármaco. Isso que dizer que se aplica maior radiação onde há maior concentração do radiofármaco (maior atividade tumoral, ou SUV maior), e menor radiação onde a concentração do radiofármaco é menor (SUV menor). Essa conduta torna possível poupar de radiação as estruturas adjacentes importantes, além de individualizar a radioterapia (Fig. 9.26).

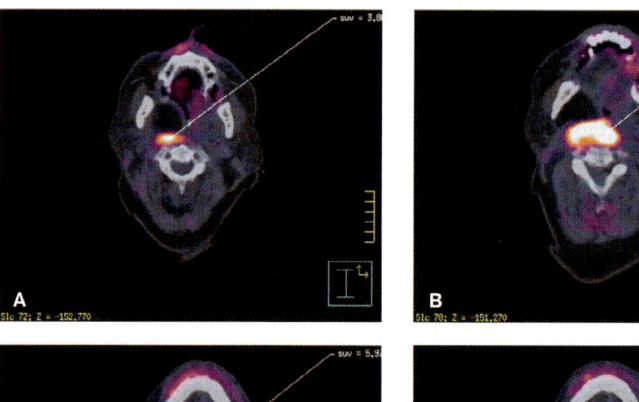

Figura 9.25 – (A a D) Imagens no plano axial de PET/TC com ^{18}F-FDG de um carcinoma espinocelular de amígdala. Notam-se diferenças nos valores de SUV nos cortes da lesão, demonstrando áreas de maior e menor atividade tumoral.

Fonte: A. C. Camargo.[5]

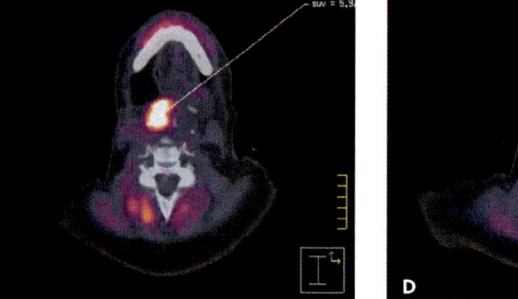

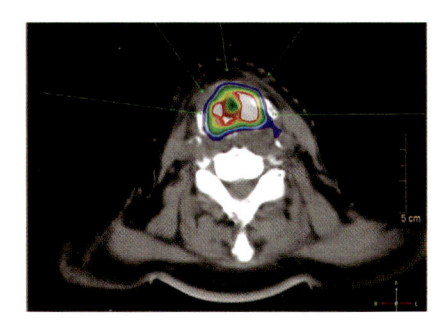

Figura 9.26 – Imagem no plano axial de PET/TC com ¹⁸F-FDG utilizada no planejamento para radioterapia. As diferentes cores representam a diversidade da atividade tumoral, maior no centro.

Fonte: A. C. Camargo.⁵

Quando a opção terapêutica é a quimioterapia, após dois ciclos, geralmente é realizada outra PET/TC com ¹⁸F-FDG, para avaliar o SUV da lesão. Se houver cerca de 30% de diminuição do SUV, considera-se que o tratamento está sendo efetivo; caso o SUV permaneça inalterado ou esteja maior do que o valor no exame inicial, considera-se que o tratamento não está satisfatório, e novas condutas terapêuticas devem ser consideradas. Portanto, a PET/TC com ¹⁸F-FDG é considerada um marcador de resposta tumoral à terapêutica aplicada.

RESUMINDO

- Deve-se avaliar o caso para indicar o exame correto.
- A medicina nuclear auxilia no diagnóstico e no tratamento.
- As imagens simultâneas de fusão SPECT/TC com ⁹⁹ᵐTc-MDP são relevantes quando aplicadas em pacientes suspeitos de lesões ósseas, podendo ser lesões periapicais, osteomielites, osteorradionecrose, disfunção de ATM, avaliação de enxertos ósseos, entre outros.
- SPECT/TC é um método adequado como auxiliar de diagnóstico, apresentando alta sensibilidade, especificidade e acurácia, localizando as alterações osteometabólicas.
- PET/TC é um método de geração de imagens metabólicas associado a um método anatômico, oferecendo grande contribuição no diagnóstico, no estadiamento e na avaliação do tumor à resposta terapêutica.
- Devem-se associar técnicas para um bom diagnóstico e tratamento eficaz.

10

Ultrassom
Princípios e aplicações em odontologia

RAUL RENATO CARDOZO DE MELLO TUCUNDUVA NETO
THÁSIA LUIZ DIAS FERREIRA
MARINA GAZZANO BALADI

Neste capítulo, será apresentado um recurso imaginológico, denominado ultrassom, que foi desenvolvido, primeiramente, para utilização submarina (sonar), e só depois foi fundamentado na área da saúde.

Esse sistema utiliza ondas ultrassônicas, que são produzidas por um transdutor, responsável por enviá-las ao tecido que se deseja avaliar e por receber os ecos sonoros, os quais são refletidos pelas estruturas que possuem diferentes impedâncias acústicas.

Por haver um entendimento cada vez maior dos princípios do ultrassom, e devido à fabricação de equipamentos cada vez mais sensíveis, a ultrassonografia (US) passou a ter um papel mais atuante e abrangente na saúde. Contudo, o sucesso desta técnica depende não somente do conhecimento de sua dinâmica, mas sim da correta interpretação de suas imagens.

O termo "ultrassom" é usado para descrever o método de vibrações de ondas ultrassônicas em frequência acima dos limites audíveis pelos seres humanos. Trata-se de um método imaginológico com as seguintes características:

- não invasivo – não faz uso de radiação ionizante;
- de baixo custo, quando comparado com outros exames imaginológicos;
- indolor – causa pouco ou nenhum desconforto;
- de fácil reprodutibilidade;
- sem efeitos deletérios – até os dias atuais, não se observou nenhum efeito deletério decorrente do US, podendo ser realizado em crianças e gestantes;
- relativamente rápido de ser executado.

O exame de US utiliza ondas ultrassônicas, que são produzidas em um dispositivo denominado transdutor, que é o responsável por criar e

OBJETIVOS DE APRENDIZAGEM:

- Compreender os principais conceitos associados à técnica de ultrassonografia
- Conhecer os princípios de formação de imagem por meio desta técnica
- Conhecer as aplicações clínicas e indicações desta técnica na odontologia

Som

"O som é a propagação de energia através da matéria por ondas mecânicas."[1] (Fig. 10.1).

Ultrassom

"Método imaginológico não invasivo (não faz uso de radiação ionizante), eficaz, causando pouco desconforto ao paciente, de custo acessível e relativamente de fácil execução."[1]

Ultrassonografia

Recurso imaginológico que utiliza a aplicação clínica do ultrassom, por meio da emissão e captação dos ecos das ondas ultrassônicas (aproveita o **eco** produzido pelo som para ver, em tempo real, as reflexões produzidas pelas estruturas e órgãos do organismo).

enviar ondas ultrassônicas aos tecidos que se desejam avaliar. O transdutor também é o responsável por receber os ecos sonoros, que são refletidos pelas estruturas que foram "atingidas" pelas ondas ultrassônicas, os quais possuem diferentes **impedâncias acústicas**, obtendo-se assim as informações desejadas. O transdutor pode ser posicionado extra ou intraoralmente, dependendo da estrutura a ser analisada.

O transdutor contém cristais piezoelétricos (materiais capazes de transformar um tipo de energia em outro), por meio dos quais passa uma corrente elétrica que os ativa, fazendo-os vibrar. Suas vibrações criam ondas sonoras que penetram nos tecidos. As ondas sonoras se deslocam a uma frequência extremamente alta: cada milhão de ciclo por segundo é descrito como um megaHertz, ou MHz (unidade de medida utilizada em US).

Durante o exame, o transdutor é colocado sobre a pele. As ondas sonoras produzidas pelo transdutor penetram nos tecidos, e as interfaces de todas as estruturas que as ondas deparam são refletidas, em forma de eco, de acordo com as impedâncias acústicas deparadas. A impedância acústica é oposta à passagem das ondas sonoras, e é um reflexo da densidade e da elasticidade do tecido. O eco refletido é recebido pelo transdutor, convertido em uma corrente elétrica e revelado instantaneamente no monitor acoplado ao aparelho (Fig. 10.1).

Existem, basicamente, cinco tipos de transdutores, os quais possuem indicações e especificações particulares, tanto na configuração geométrica de saída das ondas ultrassônicas como pela frequência. Um comprimento de onda curto resulta em uma alta frequência, o que melhora a resolução, mas diminui a profundidade de penetração. Os tipos de transdutores são descritos a seguir (Fig. 10.2).

- **Transdutores setoriais**: A área de saída das ondas ultrassônicas é pequena e muito divergente, saindo de um pequeno ponto e abrindo como um leque. É útil, particularmente, para avaliação de estruturas abaixo das costelas, como o coração.
- **Transdutores convexos**: Possuem feixe de onda convexo, com baixa frequência. Por isso, são utilizados para explorações profundas (p. ex., avaliação abdominal).
- **Transdutores endocavitários**: Utilizam frequência média e possuem uma longa haste. São utilizados para explorações dentro do corpo humano, pois o transdutor é introduzido no corpo (p. ex., avaliação intravaginal, intrarretal e intraoral).
- **Transdutores lineares**: Proveem feixes de ondas ultrassônicos paralelos, criando uma imagem geometricamente verdadeira. Por possuírem alta frequência, possibilitam a avaliação de estruturas superficiais, como as glândulas salivares. São os mais utilizados em odontologia.

O primeiro modo de aquisição das informações por meio do US ficou conhecido como **modo A**, o qual representava a amplitude refletida de um US, esboçada em um gráfico, que relacionava o tempo de transição com a distância percorrida pela onda. Porém, como essa forma de apresentação era de difícil interpretação (em um eixo de

---

LEMBRETE

Os transdutores lineares são os mais utilizados em odontologia.

Impedância acústica

Resistência (densidade X elasticidade) de cada tecido à passagem do som.

Estruturas ecoicas ou ecogênicas

Estruturas que produzem ecos (escala de cinza).

Estruturas isoecoicas ou isoecogênicas

Estruturas que produzem ecos com a mesma intensidade, com a mesma ecotextura ou ecogenicidade.

Figura 10.1 – Aparelho de ultrassom.

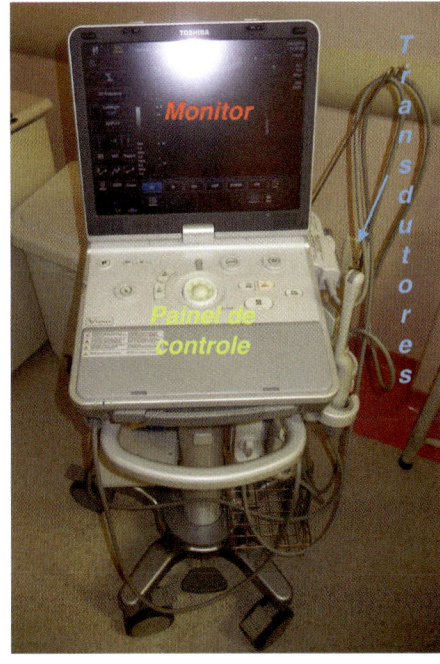

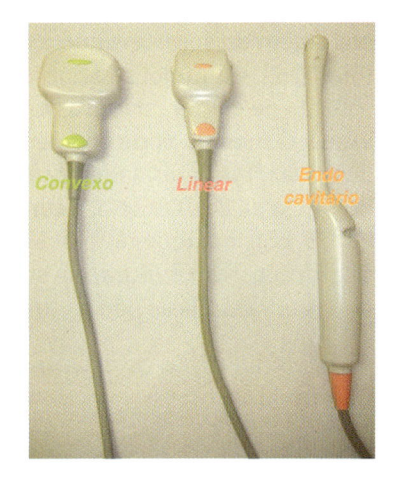

Figura 10.2 – Transdutores de ultrassom.

coordenadas), tem pouca utilização nos dias atuais, sendo a oftalmologia uma delas.

Com a evolução tecnológica, surgiu o **modo B**, que fornece uma imagem tomográfica, representando a amplitude de reflexão do som em códigos de tonalidades de cinza, como uma função da distância do som original, na qual os ecos refletidos são apresentados no monitor como pontos de brilho variável em proporção e intensidade, conforme a impedância acústica dos tecidos encontrados. Quanto maior a impedância encontrada, maior a intensidade do brilho. Com essa evolução dos aparelhos, a técnica permitiu que os ecos fossem processados a uma velocidade suficientemente grande para deixar passar a percepção do movimento, o que era denominado "imagem em tempo real".

Existe ainda o **modo M** (tempo-movimento), que consiste em uma representação linear do movimento de uma estrutura vista no modo B, usado, fundamentalmente, na ecocardiografia.

O **sistema Doppler colorido** foi o passo seguinte na evolução da aparatologia utilizada no US, o qual era obtido devido a uma mudança na frequência do som refletido de uma fonte móvel, como, por exemplo, na detecção dos fluxos sanguíneos arterial e venoso. Esse sistema tornou possível avaliar e determinar a presença e a direção da corrente sanguínea do tecido, além de informações sobre a velocidade do fluxo e a perfusão da área. Isso porque, quando o objeto que reflete as ondas ultrassônicas se move, ele altera a frequência dos ecos, criando uma frequência mais alta se estiver se movendo na direção da sonda, e uma frequência mais baixa se estiver se afastando dela.

As ondas do exame de US só se propagam em matéria. Por isso, é sempre necessário haver um meio acoplador entre o transdutor e as estruturas que se deseja avaliar. Via de regra, utiliza-se um gel à base de água (Fig. 10.1) entre o transdutor e a pele do paciente, para que as ondas ultrassonográficas não se "percam" – o ar é considerado uma barreira acústica, assim como o osso.

Nada que esteja atrás de osso pode ser avaliado por meio do US, pois estruturas altamente calcificadas/mineralizadas não permitem a passagem do som, levando à formação de sombras acústicas (Fig. 10.2). Contudo, se a cortical óssea estiver adelgaçada e/ou com solução de continuidade, as ondas conseguem "atravessar" a barreira óssea. O mesmo pode acontecer se a cortical óssea estiver com qualquer "irregularidade", que será representada da mesma maneira por meio da US. Ou seja, a cortical óssea pode ser avaliada por meio do US, pois qualquer alteração presente nela será notada; contudo, se a cortical estiver íntegra, ela se torna uma barreira acústica, pois as ondas ultrassônicas não a ultrapassarão.

Os diferentes tipos de ecos encontrados no US estão sintetizados no Quadro 10.1.

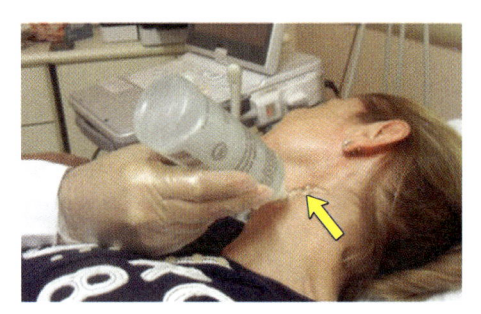

Figura 10.3 – Paciente sendo preparado para o exame ultrassonográfico na qual a seta indica o gel aplicado na paciente.

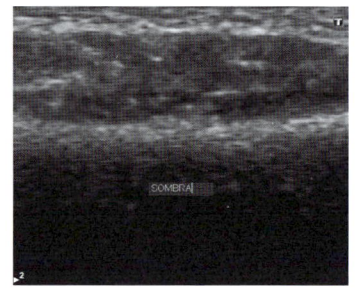

Figura 10.4 – Imagem hiperecoica (linha branca), produzida por estrutura altamente reflexiva (mineralizada), e abaixo formação de sombra acústica (imagem escura), em decorrência das ondas sonoras não terem ultrapassando a estrutura mineralizada, não produzindo, assim, imagem e sim uma sombra.

QUADRO 10.1 – Tipos de ecos

NOMENCLATURA	COR	TIPO DE ECOS	TECIDOS
HIPOECOICO	Cinza	Ecos de moderada a baixa intensidade	Tecidos moles
HIPERECOICO	Branco	Ecos intensos	Osso e estruturas calcificadas
ANECOICO	Preto	Ausência de ecos	Líquidos

APLICAÇÕES CLÍNICAS NA ODONTOLOGIA

O US possui um lugar consolidado na medicina como exame imaginológico. Porém, na odontologia a técnica ainda vem, aos poucos, ganhando espaço, tendo a avaliação das glândulas salivares o seu grande destaque. No entanto, esse método possui recursos importantes que poderiam auxiliar muito mais a odontologia (em especial por ser de baixo custo e de fácil acesso), não somente na detecção, mas também no auxílio à elaboração do plano do tratamento, no transoperatório e no monitoramento ao tratamento empregado. Por exemplo:

- avaliação, em tempo real, da natureza intrínseca (sólida, cística ou mista) das estruturas que se quer avaliar, seja um órgão, seja uma lesão;
- avaliação das dimensões (as mensurações devem ser empregadas com muito cuidado, pois podem sofrer alterações de acordo com o posicionamento do transdutor), limites e formas;
- estimativa do grau de vascularização de uma determinada afecção, que está diretamente relacionado com o grau de proliferação/agressividade (orientando, assim, se uma determinada cirurgia deve ser mais ou menos agressiva);
- orientação para a drenagem de abscessos faciais, diminuindo os riscos e o tempo operacional;
- localização, em tecidos moles, de corpos estranhos de baixa impedância acústica (p. ex., lascas de madeira e vidro);
- estudo da ATM (somente as faces laterais dos componentes da articulação podem ser avaliados por meio do US), seja na avaliação inicial, seja no monitoramento de um tratamento empregado.

GLÂNDULAS SALIVARES

Por meio do US é possível avaliar as glândulas salivares quanto a sua forma, biometria e ecotextura. Por serem estruturas localizadas superficialmente, os transdutores mais indicados para sua avaliação são os lineares, que possuem alta frequência.

Ao exame, as glândulas salivares apresentam-se como áreas ecogênicas (produzem ecos), hiperecoicas, uniformes ou homogêneas (mesma ecogenicidade em toda a estrutura), e mais "brilhantes" do que os músculos vizinhos, pois possuem uma impedância acústica maior.

Como as glândulas salivares são em par, apesar de existir uma média preestabelecida para cada glândula (parótida, submandibular e sublingual), é recomendado que se compare cada lado com seu contralateral, em cada paciente, quanto à forma, ao tamanho e à "textura" das estruturas.

As imagens em US são apresentadas nos planos longitudinal, transversal e oblíquo em relação à estrutura que se quer avaliar; não são apresentadas em relação ao plano sagital mediano, como na maioria dos métodos de diagnóstico por imagem que utilizam os cortes axial, sagital e coronal. Por exemplo:

- para avaliar a glândula parótida longitudinalmente, o transdutor deve ser posicionado com o seu longo eixo paralelo ao longo eixo da glândula, ou seja, executando um corte no longo eixo (longitudinal) da glândula (Fig. 10.5);
- para fazer o corte transversal, o transdutor é posicionado perpendicularmente ao longo eixo da estrutura que se deseja avaliar, ou seja, fazendo um corte perpendicular (Fig. 10.5);
- para o corte oblíquo, o transdutor é posicionado em qualquer outra posição que não "corte" perpendicular ou paralelamente à estrutura a ser avaliada, ou seja, o corte será "inclinado" em relação ao longo eixo do objeto de estudo.

A seguir, será ilustrado o posicionamento do paciente e do transdutor para avaliação das glândulas salivares maiores, nos cortes longitudinal e transversal, e suas respectivas imagens ultrassonográficas, todas em normalidade (Figs. 10.6 a 10.16).

LEMBRETE

Via de regra, ao se realizar exame ultrassonográfico das glândulas salivares maiores, primeiramente se faz uma "varredura" longitudinal e em seguida, transversal, de um lado e, em seguida, do lado contralateral.

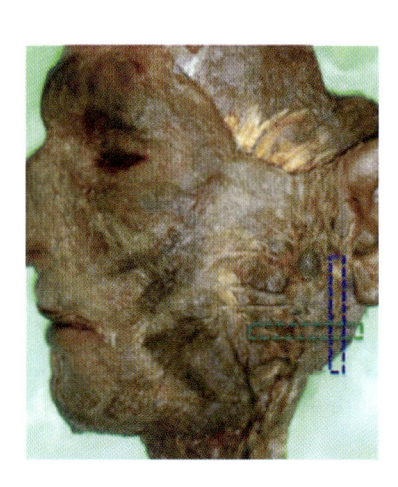

Figura 10.5 - Peça anatômica com desenho esquemático, linhas pontilhadas, simulando o posicionamento do transdutor para avaliação longitudinal, em azul, da glândula parótica e em verde para avaliação transversal.

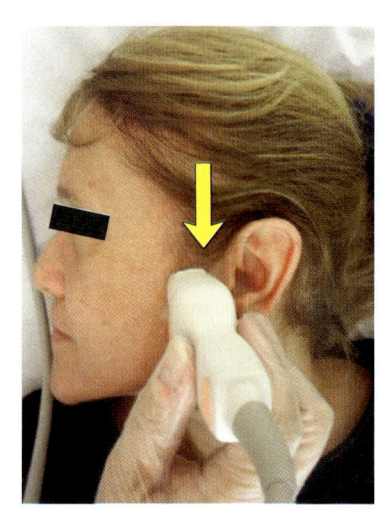

Figura 10.6 - Transdutor linear posicionado para avaliação longitudinal (longo eixo) da glândula parótida.

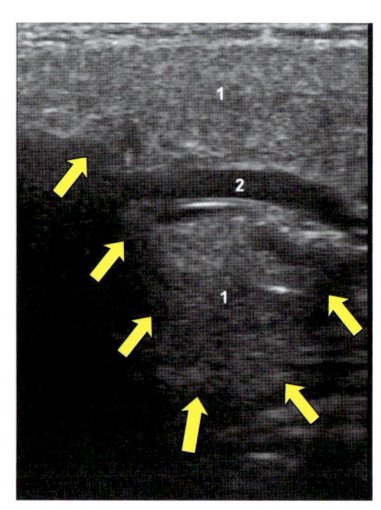

Figura 10.7 - Ultrassonografia, corte longitudinal, da glândula parótida. 1 – Glândula parótida (setas indicam o limite) e 2 – artéria temporal, que atravessa a glândula parótida.

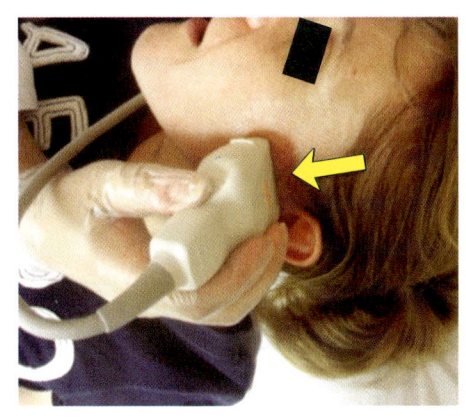

Figura 10.8 – Transdutor linear posicionado para avaliação transversal da glândula parótida.

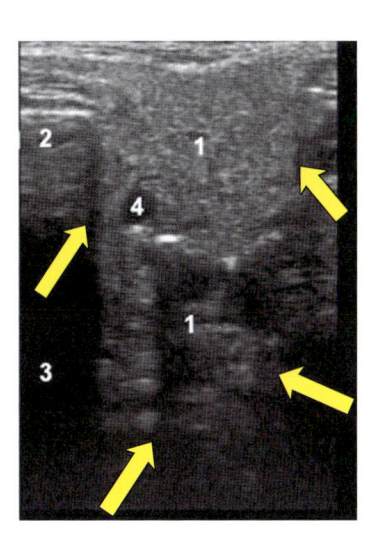

Figura 10.9 – Ultrassonografia, corte transversal, da glândula parótida. 1 – Glândula parótida (setas indicam o limite), 2 – mandíbula, 3 – sombra da mandíbula, 4 – artéria temporal.

Figura 10.10 – Peça anatômica com desenho esquemático, linhas pontilhadas simulando o posicionamento do transdutor para avaliação longitudinal, em azul, da glândula submandibular e em verde para avaliação transversal.

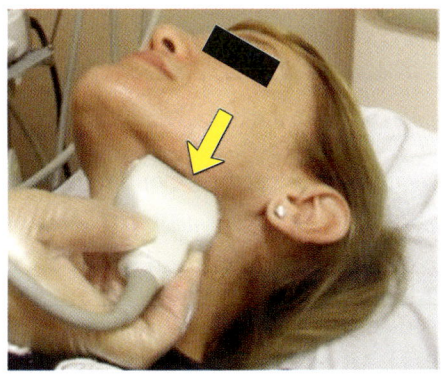

Figura 10.11 – Transdutor linear posicionado para avaliação longitudinal (longo eixo) da glândula submandibular.

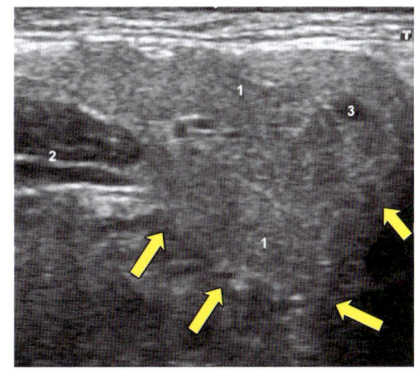

Figura 10.12 – Ultrassonografia, corte longitudinal, da glândula submandibular. 1 – Glândula submandibular (setas indicam o limite), 2 – músculos e 3 – artéria facial.

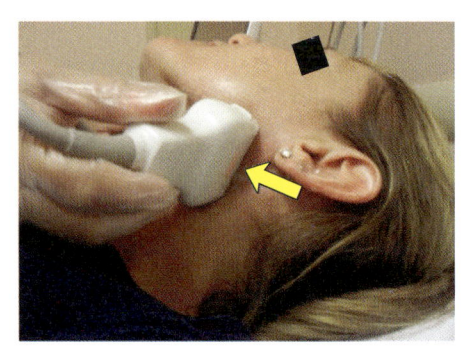

Figura 10.13 – Transdutor linear posicionado para avaliação transversal da glândula submandibular.

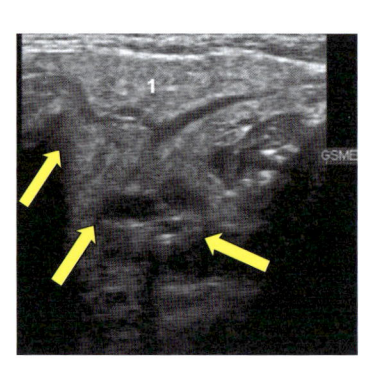

Figura 10.14 – Ultrassonografia, corte transversal, da glândula submandibular. 1 – Glândula submandibular (setas indicam o limite).

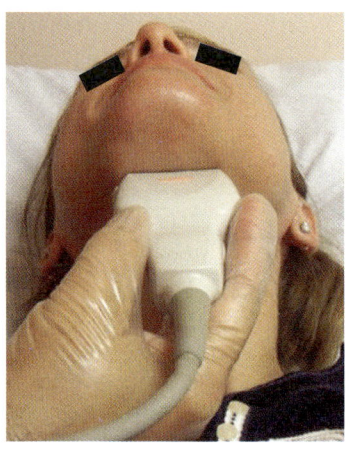

Figura 10.15 – Transdutor linear posicionado para avaliação das glândulas sublinguais.

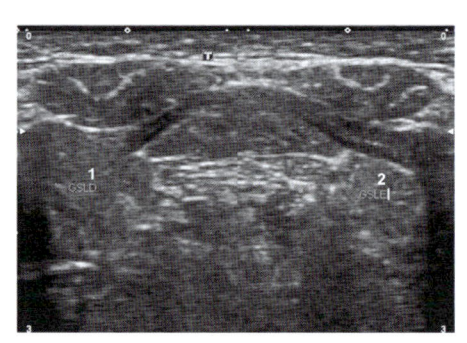

Figura 10.16 – Ultrassonografia, das glândulas sublinguais. 1 – Glândula sublingual, lado direito e 2 – Glândula sublingual, lado esquerdo.

ARTICULAÇÃO TEMPOROMANDIBULAR (ATM)

O US vem ganhando cada vez mais espaço na avaliação da ATM, em especial no estudo do disco articular, devido à possibilidade de avaliação em franca dinâmica, durante os movimentos mandibulares.

O US pode ser um exame útil em avaliações iniciais e no monitoramento de um tratamento da ATM. No entanto, em casos de imprecisão e/ou suspeita de anormalidade, deve ser complementado com exames imaginológicos específicos para a ATM, uma vez que é um exame com pouca sensibilidade para a avaliação dessa estrutura, sendo a imagem por RM o exame de eleição nesses casos.

Ao exame ultrassonográfico é possível avaliar a superfície lateral dos componentes ósseos (tubérculo articular do osso temporal e cabeça da mandíbula, que se apresentarão hiperecoicos), assim como a localização do disco articular (que se apresentará hipoecoico), tanto em boca fechada como em abertura máxima. Isso ocorre desde que o mesmo não esteja deslocado para medial, ou seja, "atrás" da cabeça da mandíbula, pois esse acidente anatômico é uma estrutura de alta impedância acústica, não permitindo a passagem das ondas ultrassônicas; por isso, não é possível avaliar o que está atrás da superfície óssea hígida.

A ATM, assim como a maioria das estruturas que podem ser avaliadas para odontologia, encontra-se localizada superficialmente. Por isso, o transdutor mais indicado é o de maior frequência, ou seja, o **linear**.

A seguir, será ilustrado o posicionamento do paciente e do transdutor para avaliação da ATM, nos cortes longitudinal e transversal, e suas respectivas imagens ultrassonográficas, todas em normalidade (Figs. 10.17 a 10.18).

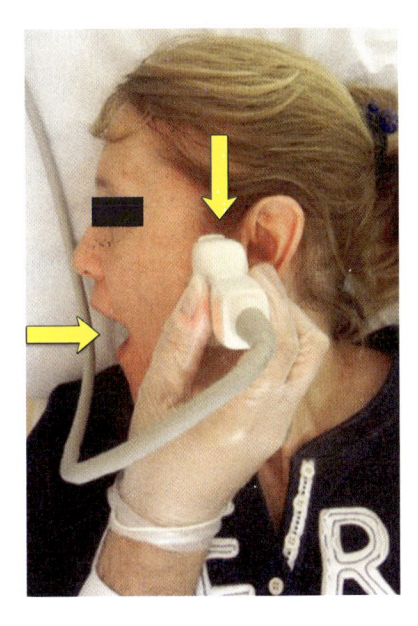

Figura 10.17 – Transdutor linear posicionado para avaliação da articulação temporomandibular, posicionado paralelamente ao longo eixo do ramo da mandíbula, com paciente de boca aberta.

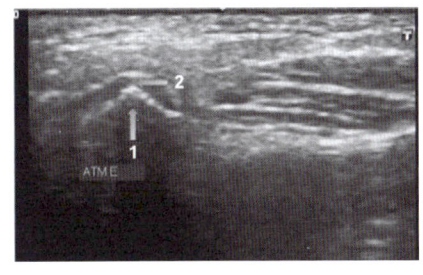

Figura 10.18 – Ultrassonografia da ATM, lado esquerdo, paciente de boca aberta. 1 – Vertente antero lateral da cabeça da mandíbula e 2 – porção anterior do disco articular.

INDICAÇÕES

- Avaliação de tecidos moles, para os quais tem alta especificidade
- Delimitação topográfica de estruturas
- Distinção entre as estruturas de conteúdo líquido e as de composição sólida
- Determinação dos locais onde o conteúdo é homogêneo ou não
- Detecção, em tempo real, dos componentes vasculares (por meio Doppler)
- Monitoração em série da resposta ao tratamento empregado

LIMITAÇÕES

- As ondas sonoras são "absorvidas" pelo osso e pelo ar
- As imagens podem ser de difícil interpretação por operadores inexperientes
- Imagens instantâneas e em movimento significam a necessidade da presença do radiologista no momento do exame

Referências

Capítulo 1 – Tomografia computadorizada

1. Kalender, WA. Computed tomography: fundamentals, system technology, image quality, applications. 3rd ed. Erlangen: Publics; 2011.

2. Cavalcanti, MGP. Diagnóstico por imagem da face. São Paulo: Santos; 2008.

3. Toshiba.eu [Internet]. Toshiba activion 16 multislice 16 canais. [S.l.]: Toshiba Europe; c2011 [capturado em 30 jul. 2013]. Disponível em: http://www.toshiba-medical.eu/upload/TMSE_CT/Activion16/System%20Images/Activion16.jpg?epslanguage=en.

4. Siemens.com [Internet]. SOMATOM Definition AS. [S.l.]: Siemens; c2013 [capturado em 30 jul. 2013]. Disponível em: http://www.healthcare.siemens.com/computed-tomography/single-source-ct/somatom-definition-as.

5. Al-Shakhrah I, Al-Obaidi T. Common artifacts in computerized tomography: a review. Appl Radiol. 2003;32:25-30.

6. Ludlow JB, Davies-Ludlow LE, Brooks SL, Howerton WB. Dosimetry of 3 CBCT devices for oral and maxillofacial radiology: CB Mercuray, NewTom 3G and i-CAT. Dentomaxillofac Radiol. 2006;35(4):219-26.

7. Abrahams JJ. Dental CT imaging: a look at the jaw. Radiology. 2001;219(2):334-45.

8. Casanova MS, Tuji FM, Ortega AL, Yoo HJ, Haiter-Neto F. Computed tomography of the TMJ in diagnosis of ankylosis: two case reports. Med Oral Patol Oral Cir Bucal. 2006;11(5):E413-6.

9. Santos KC, Dutra ME, Costa C, Lascala CA, de Oliveira JX. Aplasia of the mandibular condyle. Dentomaxillofac Radiol. 2007;36(7):420-2.

10. Torriani M, Maeda L, Montandon C, Menezes Neto JR, Zanardi VA. Granuloma reparador de células gigantes: relato de cinco casos. Radiol. Bras. 2001;34(3):167-70.

Capítulo 3 – Estudo tomográfico das cavidades paranasais

1. Gilroy AM, Macpherson BR, Ross LM. Atlas de anatomia. Rio de Janeiro: Guanabara Koogan; 2008.

Capítulo 4 – Tomografia computadorizada volumétrica

1. Chilvarquer I, Hayek JE, Azevedo B. Tomografia: seus avanços e aplicações na odontologia. Rev Assoc Bras Radiol. 2008;9(1):3-9.

2. Sedentexct.eu [Internet]. Radiation protection: cone beam for dental and maxillofacial radiology: evidence based guidelines. Manchester: Sedentexct; c2013 [capturado em 27 jun 2013]. Disponível em: http://www.sedentexct.eu/files/guidelines_final.pdf.

Capítulo 7 – Imagem digital

1. Dreyfus P. L'Informatique. Gestion. 1962;240-1.

2. CarestreamDental.com [Internet]. Canada: Carestream Dental; c2013 [capturado em 26 jun 2013]. Disponível em: http://www3.carestreamdental.com/us/pt.

3. DurrDental.com [Internet]. Porto Alegre: Durr Dental do Brasil; c2011 [capturado em 26 jun 2013]. Disponível em: http://www.vistascan.com.br/.

Capítulo 8 – Ressonância magnética

1. Rana M, Essig H, Eckardt AM, Tavassol F, Ruecker M, Schramm A, et al. Advances and innovations in computer-assisted head and neck oncologic surgery. J Craniofac Surg. 2012;23(1):272-8.

2. Shimamoto H, Chindasombatjaroen J, Kakimoto N, Kishino M, Murakami S, Furukawa S. Perineural spread of adenoid cystic carcinoma in the oral and maxillofacial regions: evaluation with contrast-enhanced CT and MRI. Dentomaxillofac Radiol. 2012;41(2):143-51.

Capítulo 9 – Medicina nuclear aplicada na odontologia

1. Lima ENP. Aspectos práticos de medicina nuclear em oncologia. In: Kowalski LP, Anelli A, Salvajoli JV, Lopes LF. Manual de condutas diagnósticas e terapêuticas em oncologia. 2. ed. São Paulo: Âmbito; 2002. p. 69-74.

2. Barelstone HJ. Radioative isotopes in dental science. Int Dent J. 1954;4(5):629-53.

3. Fleming WH, McIlraith JD, King ER. Photoscanning of bone lesions utilizing 85Sr. Radiology. 1961;77:635.

4. Subramanian G, McAfee JG. A new complex of 99mTc skeletal imaging. Radiology. 1971;99(1):192-6.

5. ACCamargo.org [Internet]. São Paulo: ACCamargo; 2013 [capturado em 26 jun 2013]. Disponível em: http://www.accamargo.org.br/ .

6. Jaguar GC. Estudo prospectivo do uso do betanecol na fisiologia de glândulas salivares em pacientes irradiados em região de cabeça e pescoço [tese]. São Paulo: Fundação Antônio Prudente; 2010.

7. Thrall JH, Ziessman HA. Nuclear medicine: the requisites. 2nd ed. Missouri: Mosby; 2001.

8. Einstein.br [Internet]. São Paulo: Albert Einstein; c2009 [capturado em 26 jun 2013]. Disponível em: http://www.einstein.br/Paginas/home.aspx.

9. Grant FD, Fahey FH, Packard AB, Davis RT, Alavi A, Treves ST. Skeletal PET with 18F-fluoride: applying new technology to an old tracer. J Nucl Med. 2008;49(1):68-78.

10. Brooks SL, Brand JW, Gibbs SJ, Hollender L, Lurie AG, Omnell KA, et al. Imaging of temporomandibular joint: a position paper of the American Academy of Oral and Maxillofacial Radiology. Oral Surg Oral Med Oral Pathol Oral Radiol Endod. 1997;83(5):609-18.

11. Fogelman I, Maisey MN, Clarke SEM. An atlas of clinical nuclear medicine. 2nd ed. St. Louis: Mosby; 1994.

12. Katzberg RW, O'Mara RE, Tallents RH, Weber DA. Radionuclide skeletal imaging and single photon emission computed tomography in suspected internal derangements of the temporomandibular joint. J Oral Maxillofac Surg. 1984;42(12):782-7.

13. Lima ENP, Trevisan S. Medicina nuclear em oncologia. In: Brentani MM, Coelho FRG, Iyeyasu H, Kowalski LP. Bases da oncologia. São Paulo: LEMAR; 1998. p. 313-50.

14. Jones BE, Patton DD. Bone scans of the facial bones: normal anatomy. Am J Surg. 1976;132(3):341-5.

15. Garcia DA, Janson D, Kapur KK. Bone imaging and semiconductor probe measurements of technetium-99m-polyphosphate in the detection of periapical pathology in the dog. Arch Oral Biol. 1976;21(3):167-74.

16. Pogrel MA, Kopf J, Dodson TB, Hattner R, Kaban LB. A comparison of single-photon emission computed tomography and planar imaging for quantitative skeletal scintigraphy of the mandibular condyle. Oral Surg Oral Med Oral Pathol Oral Radiol Endod. 1995;80(2):226-31.

17. Davidowicz H, Lascala CA, Thom AF, Moura AAM. Aplicação de recursos diagnósticos fornecidos pela cintilografia em casos de implantes osteointegrados. Rev ABO Nac. 1994;2(2):88-92.

18. Davidowicz H. Análise comparativa das áreas ósseas hipercaptantes detectadas através da cintilografia computadorizada com e sem o uso de dispositivo intrabucal individualizador previamente confrontada com técnica periapical do paralelismo [tese]. São Paulo: Faculdade de Odontologia da Universidade São Paulo; 1995.

19. Serson D, Barbosa JEV, Cardoso OM, Nunes JEO. Isótopos radioativos em implantologia oral. Rev Assoc Paul Cir Dent. 1974;28(5):276-84.

20. Shimamoto H, Tatsumi M, Kakimoto N, Hamada S, Shimosegawa E, Murakami S, et al. (18)F-FDG accumulation in the oral cavity is associated with periodontal disease and apical periodontitis: an initial demonstration on PET/CT. Ann Nucl Med. 2008;22(7):587-93.

21. Laverick S, Bounds G, Wong WL. [18F]-fluoride positron emission tomography for imaging condylar hyperplasia. Br J Oral Maxillofac Surg. 2009;47(3):196-9.

22. Davidowicz H, Simões W, Moura AAM. Detecção de alterações periapicais frente à cintilografia e aos exames radiográficos periapical. Reunião Científica da Sociedade Brasileira de Pesquisas Odontológicas; 1994; São Paulo. São Paulo: SBPqO; 1994.

23. Wilde F, Steinhoff K, Frerich B, Schulz T, Winter K, Hemprich A, et al. Positron-emission tomography imaging in the diagnosis of bisphosphonate-related osteonecrosis of the jaw. Oral Surg Oral Med Oral Pathol Oral Radiol Endod. 2009;107(3):412-9.

24. Schillaci O, Danieli R, Manni C, Simonetti G. Is SPECT/CT with a hybrid camera useful to improve scintigraphic imaging interpretation? Nucl Med Commun. 2004;25(7):705-10.

25. Ota T, Yamamoto I, Ohnishi H, Yuh I, Kigami Y, Suzuki T, et al. Three-dimensional bone scintigraphy using volume-rendering technique and SPECT. J Nucl Med. 1996;37(9):1567-70.

26. Coutinho A, Fenyo-Pereira M, Dib LL, Lima EN. The role of SPECT/CT with 99mTc-MDP image fusion to diagnose temporomandibular dysfunction. Oral Surg Oral Med Oral Pathol Oral Radiol Endod. 2006;101(2):224-30.

27. Finn RD, Schlyer DJ. Production of radionuclides for PET. In: Wahl RL, Beanlands RSB, editors. Principles and practice of PET and PET/CT. 2nd ed. Philadelphia: Lippincott Williams & Wilkins; 2002.

28. Schmitz RE, Alessio AM, Kinghan PE. The physics of PET/CT scanners. In: Lin E, Alani A. PET and PET/CT: a clinical guide. 2nd ed. New York: Thieme Medical; 2009.

29. Tanimoto K, Yoshikawa K, Obata T, Ikehira H, Shiraishi T, Watanabe K, et al. Role of glucose metabolism and cellularity for tumor malignancy evaluation using FDG-PET/CT and MRI. Nucl Med Commun. 2010;31(6):604-9.

30. Xing L. The value of PET/CT is being over-sold as a clinical tool in radiation oncology. For the proposition. Med Phys. 2005;32(6):1457-8.

31. Wessels B. The value of PET/CT is being over-sold as a clinical tool in radiation oncology. Against the proposition. Med Phys. 2005;32(6):1458-9.

32. Carvalho ALP. Avaliação da correlação de imagens da tomografia por emissão de pósitrons (PET- fluoreto), com as alterações perirradiculares da cavidade oral [dissertação de mestrado]. São Paulo: Faculdade de Odontologia da Universidade Paulista; 2010.

Capítulo 10 – Ultrassom: princípios e aplicações em odontologia

1. Ferreira, TLD. Ultra-sonografia recurso imaginológico aplicado à odontologia [dissertação]. São Paulo: Universidade de São Paulo, Faculdade de Odontologia; 2005.

LEITURAS RECOMENDADAS

Asaumi J, Hisatomi M, Yanagi Y, Matsuzaki, Choi YS, Kawai N, et al. Assessment of ameloblastomas using MRI and dynamic contrast-enhanced MRI. Eur J Radiol. 2005;56(1)25-30.

Ávila MAG, Ferro LA, Freitas C. Ultra-sonografia das glândulas salivares. In: Freitas A, Rosa JE, Souza IF. Radiologia odontológica. 6. ed. São Paulo: Artes Médicas; 2004. p. 753-69.

Barnes L, Eveson JW, Reichart P, Sidransky D, editors. Pathology & genetics: head and neck tumors. Lyon: IARC; 2005.

Bolger EW, Butzin CA, Parsons DS. Paranasal sinus bony anatomic variations and mucosal abnormalities: CT analysis for endoscopic sinus surgery. Laringoscope. 1991;101:56-64.

Bueno MR, Estrela C, Azevedo BC, Brugnera Junior A, Azevedo JR. Tomografia computadorizada Cone-Beam: revolução na Odontologia. Rev. Assoc Paul Cir Dent. 2007;61(5):354-63.

Campbell PD, Zinreich SJ, Aygun N. Imaging of the paranasal sinuses and In-Office CT. Otolaryngol Clin North Am. 2009;42(5):753-64.

Carvalho SPM, Silva RHA, Lopes Jr C, Peres AS. A utilização de imagens na identificação humana em odontologia legal. Radiol Bras. 2009;42(2):125-30.

Chilvarquer I, Hayek JE, Chilvarquer LW, Saddy MS, Fenyo-Pereira M. Radiografia digital. In: Panella J. Fundamentos de odontologia: radiologia odontológica e imaginologia. 2. ed. São Paulo: Santos; 2013.

Correia F, Salgado A. Tomografia computorizada de feixe cônico e sua aplicação em Medicina Dentária. Rev Port Estomatol Med Dent Cir Maxilofac. 2012;53(1):47-52.

Costa C, Felicori SM, Cyrne MAM, Caputo BV, Paiva TB. Estudo tomodensitométrico de áreas desdentadas da mandíbula por meio da tomografia computadorizada de feixe-cônico. J Health Sci Inst. 2010;28(4):311-4.

Davidowicz H. Diagnóstico por imagem e seu uso em Endodontia. Congresso Internacional do Litoral Paulista; 1994; Santos. Santos: [s.n.]; 1994.

Dawood A, Patel S, Brown J. Cone beam CT in dental practice. Br Dent J. 2009;207(1):23-8.

Earwaker J. Anatomic variants in sinonasal CT. Radiographics. 1993;13(2):381-415.

Elias FM. Validade da ultra-sonografia para o diagnóstico do deslocamento do disco da articulação temporomandibular (ATM) com redução [tese]. São Paulo: Universidade de São Paulo, Faculdade de Odontologia; 2005.

Farman AG, Scarfe WC. The basics of maxillofacial cone beam computed tomography. Semin Orthod. 2009;15(1):2-13.

Fenyo-Pereira M. Radiografias digitais. In: Freitas A, Rosa JE, Souza IF. Radiologia odontológica. 6. ed. São Paulo: Artes Médicas; 2004.

Ferreira ETT, Oliveira JX. Estudo radiográfico do incremento do seio esfenoidal e avaliação de dismorfismo sexual por meio de telerradiografias em norma lateral obtidas de indivíduos leucodermas, utilizando-se um programa computadorizado de cálculo de área de polígonos. Rev Pós Grad. 2000; 7(4):334-40.

Ferreira TLD, Freitas CF. Ultra-sonografia: recurso imaginológico aplicado à odontologia. Rev Pós Grad. 2006;13(1):103-9.

Freitas ACPA, Fenyo-Pereira M, Varoli OJ, Freitas CF. Anatomia radiográfica del seno maxilar. Fola Oral. 1998;4(11):22-6.

Freitas C. Semiologia radiológica: a arte de interpretar. In: Gonçalves EAN, Feller C. Atualização na clínica odontológica: a prática da clínica geral. São Paulo: Artes Médicas; 1998. p. 659-71.

Gil C, Miyazaki O, Cavalcanti MGP. Análise das anomalias craniofaciais por meio da computação gráfica utilizando a tomografia computadorizada em 3D. Rev. Pos-Grad. 2002; 9(1):20-6.

Havas TE, Motbey JA, Gullane PJ. Prevalence of incidental abnormalities on computed tomographic scans of the paranasal sinuses. Arch Otolaryngol Head Neck Surg. 1988;114(8):856-9.

Jorissen M, Hermans R, Bertrand B, Eloy P. Anatomical variations and sinusitis. Acta Otorhinolaryngol Belg. 1997;51(4):219-26.

Law CP, Chandra RV, Hoang JK, Phal PM. Imaging the oral cavity: key concepts for the radiologist. Br J Radiol. 2011;84(1006):944-57.

Lawson W, Patel ZM, Lin FY. The development and pathologic processes that influence maxillary sinus pneumatization. Anat Rec. 2008;291(11):1154-63.

Ludlow JB, Mol A. Imagem digital. In: White SC, Pharoah MJ. Radiologia oral: fundamentos e interpretação. 5. ed. Rio de Janeiro: Elsevier; 2007.

Macleod I, Heath N. Cone-beam computed tomography (CBCT) in dental practice. Dent Update. 2008; 35(9):594-8.

Mehra P, Jeong D. Maxillary sinusitis of odontogenic origin. Curr Infect Dis Rep. 2008;10(3):205-10.

Meloni F, Mini R, Rovasio S, Stomeo F, Teatini GP. Anatomic variations of surgical importance in ethmoid labyrinth and sphenoid sinus. A study of radiological anatomy. Surg Radiol Anat. 1992;14(1):65-70.

Neville BW, Damm DD, Allen CM, Bouqout JE. Oral and maxillofacial pathology. 3rd ed. St. Louis: Saunders; 2009. p. 678-740.

Oikarinen KS, Nieminen TM, Mäkäräienen H, Pyhtinen J. Visibility of foreign bodies in soft tissue in plain radio- graphs, computed tomography, magnetic resonance imaging, and ultrasound. An in vitro study. Int J Oral Maxillofac Surg. 1993;22(2):119-24.

Press SG. Odontogenic tumors of the maxillary sinus. Curr Opin Otolaryngol Head Neck Surg. 2006;16(1):47-54.

Prokop M, Galanski M. Spiral and multislice computed tomography of the body. Sttutgart: Thieme Verlag; 2003.

Quereshy F, Sarvell TA, Palomo M. Applications of cone-beam computed tomography int practice of oral and maxillofacial surgery. J Oral Maxillofac Surg. 2008; 66:791-6.

Schön R, Düker J, Schmelzeisen R. Ultrasonographic imaging of head and neck pathology. Atlas Oral Maxillofac Surg Clin North Am. 2002;10(2):213-41.

Slootweg PJ. Maxillofacial fibro-osseous lesions: classification and differential diagnosis. Semin Diagn Pathol. 1996;13(2):104-12.

Tucunduva MJAPS, Freitas CF. Estudo imaginológico da anatomia da cavidade nasal e dos seios paranasais e suas variações por meio da tomografia computadorizada helicoidal. Rev Pós Grad. 2008;15(1):46-52.

Turkington TG. PET Physics and PET instrumentation. In: Wahl RL, Beanlands RSB, editors. Principles and practice of PET and PET/CT. 2nd ed. Philadelphia: Lippincott Williams & Wilkins; 2002.

Werlang HZ, Bergoli PM, Madalosso BH. Manual do residente de radiologia. Rio de Janeiro: Guanabara Koogan; 2006.

Whaites E. Princípios de radiologia odontológica. 4. ed. Rio de Janeiro: Elsevier; 2009.

Yura S, Nobata K, Shima T. Diagnostic accuracy on fast-saturated T2 weighted MRI for diagnosis of intra-articular adhesions of the temporomandibular joint. Dentomaxillofac Radiol. 2012;41(3):230-3.